コロナ後の世界

内田樹

文藝春秋

まえがき

みなさん、こんにちは。内田樹です。本をお手に取ってくださってありがとうございます。この『コロナ後の世界』は「ありもの」のコンピレーションです。素材になったのはブログ記事やいろいろな媒体に発表した原稿です。でも、原形をとどめぬほどに加筆しておりますので、半分くらいは書き下ろしの「セミ・オリジナル」と思ってください。

かなり時局的なタイトルになっていますが、それはいくつかの論考が今回のパンデミックで可視化された日本社会を深く蝕んでいる「病毒」を扱っているからです。それについて思うところを書いて「まえがき」に代えたいと思います。

僕は今の日本社会を見ていて、正直「怖い」と思うのは、人々がしだいに「不寛容」になっているような気がすることです。

言葉が尖っているのです。うかつに触れるとすぐに皮膚が切り裂かれて、傷が残るような「尖った言葉」が行き交っている。だから、傷つけられることを警戒して、みんな身を固くしている。あるいは、自分の言葉の切れ味がどれくらいよいか知ろうとして、「刃」に指を当てて、嗜虐《しぎやく》的な気分になっている。

そういう「尖った言葉」が行き交っている。外から見ると、あるいはスマートで知的なやりとりが行われているように見えるのかも知れません。でも、僕はそういう言葉がいくら大量に行き交い、蓄積しても、それが日本人全体の集団としてのパフォーマンスが向上することには結びつかないと思います。

僕はものごとの適否を「それをすることによって、集団として生きる知恵と力が高まるか?」ということを基準にして判断しています。もちろん、その言明が「正しいか正しくないか」ということを知るのも大切ですけれど、僕はそれ以上に「それを言うことによって、あなたはどのような『よきもの』をもたらしたいのか?」ということが気になるのです。言っている言葉の内容は非の打ち所がないけれど、その言葉が口にされ、耳にされ、皮膚の中に浸み込むことによって、周りの人たちの生きる意欲が失せ、知恵が回らなくなるのだとしたら、その言葉を発する人にはそれについての「加害責任」を感じて欲しい。

よく考えてみたら、それは僕がずいぶん昔からずっと言ってきたことでした。

若い頃は左翼の言葉づかいに対して、そのような不満を感じていました。「革命をめざす」と言っている人たちがお互いに相手について「はしなくも階級意識の欠如を露呈し」とか「嗤《わら》うべきプチブル性」とかいう非難を投げ合っていたからです。正直言って、そんなことをいくらやっても得るところはほとんどないんじゃないかと思っていました。というのは、そうやって、「革命闘争を担う資格を持つ人」の条件を厳しくすればするほど、「革命の主体」の頭数は減るだけだからです。「世の中をよりよいものにしよう」と願う資格のある人間の条件を厳密化することによって、この人たちはどうやって世の中をよくする気なんだろうと思っていました。

同じことは、そのあとフェミニズムやポストモダニズムにも感じたことです。今度は「はしなくも性差別意識を露呈し」とか「はしなくも植民地主義者の加害者意識に気づくこともなく」というふうに表現は変わりましたけれども、それでも「真に差別され、徹底的に疎外された人間だけがシステムを批判する権利を持つ（それ以外の人間はすべて無意識のうちに差別し、疎外する側に加担している）」ということになると、すてきに切れ味はいいテーゼではあるのですけれども、これもやっぱり、徹底すればするほど「世の中を少しでも住みやすくする」事業の仲間の頭数を減らす結果になる。

僕が年来主張しているのは、おおむねそういうことです。みんながちょっとずつ「貧者の一灯」を持ち寄って、それをパブリック・ドメインに供託して、「塵《ちり》も積もれば山」をめざすという方が「すべてのリソースを正しい目的のためだけに用いる」ことをめざすより話が早いんじゃないか。そう思っているのです。「世の中を少しでも住みやすくする」事業においては、「仲間を増やす」ということが一番大切です。自分と多少意見が違っている人についても、「まあ、そういう考え方もあるかも知れないなあ」と思って、正否の判断を急がない。中腰で少し耐える（あまり長くは無理ですけれど）。そして、どこかに「取り付く島」があったら、それを頼りに対話を試みる。

今よく「ダイバーシティ&インクルージョン」という標語を聞きます。「多様性と包摂」。もちろん、すてきな目標です。ぜんぜん悪くない。でも、これって、微妙に「上から目線」だと思いませんか。

つまり、「多様性を認めよう」と言っている人って、自分はその集団における「正系」に属しており、「メンバーシップ」を確保しており、「オレたちとはちょっと毛色の違ったのが何人かいてもいい」というニュアンスを漂わせている。「包摂」もそうですよね。「他者や異物を包摂しよう」という人って、「包摂する側」にはじめから立っている。

いや、それが悪いと言っているんじゃないんです。それで上等です。でも、ちょっと「上から目線」「中から目線」じゃないかと思うんです。ちょっとだけですけど。

もちろん、僕は「上から目線・中から目線」を止めろと言っているわけじゃないんですよ。「はしなくも、無自覚な優位性・内部性を露呈し」とか言い出したら、「元の木阿弥」ですからね。どうやって、そういうところから抜け出そうかという話をしているときに、「そういう話」を始めてどうする。「君たち、そういう優越的な態度をただちに止めなさい、反省しなさい、恥じ入りなさい」とか、そういうことを僕は言っているわけじゃないんですよ。勘違いしないでくださいね。僕は「それで上等」と申し上げているんです。それで結構ですから、これからもそういう態度をどんどん続けてくださっていいんです。

でも、「上等」にも「その上」があるんじゃないかと思っているんです。できるできないは別として、もし「上等の上」があるなら、それをめざしてもいいんじゃないかと僕は思うんです。それは透視図法における消失点のようなものです。実体じゃない。作業上の擬制です。でも、それがないと絵が描けない。そういうものとして「多様性と包摂の上」があってもいいんじゃないか。

それは何かというと、言葉が平凡過ぎて脱力しそうですけれど、「親切」です。「人に親切にする」ということは、相手より立場が上でなくても、集団のフルメンバーでなくても、できる。

ちょっとしたことなんです。電車で席を譲ってあげるとか、荷物を持ってあげるとか、エレベーターで「お先にどうぞ」と声をかけるとか。そういうふうな「かたちのあること」だけに限りません。極端な話、相手が「親切にされた」と気が付かなくてもいいんです。朝ゴミ出しをしにゆくときに登校する子どもたちを見て、「今日一日元気でね」と心の中で手を合わせるとか、その程度でいいんです。別に相手から具体的な助力や支援を求められているわけじゃないけれど、自分の方から一歩を踏み出す。自分から始める。自分が起点になる。「心の中で手を合わせる」くらいでも「一歩を踏み出す」にカウントしていいと僕は思います。だったら、そんなに難しい仕事じゃありません。

僕はそういう「親切」がとても大切だと思うんです。

それが今の日本社会で最も欠けているもののような気がするからです。「親切にしましょう」なんて、小学校の学級標語みたいですけれど、日本人にはどうもそれができなくなっているような気がします。「子どもでもできること」を大人たちがしなくなっている。それが問題なんじゃないかと思います。特に「賢い」つもりでいる大人たちが「親切であること」の価値を顧みなくなった。

僕は「どうやったら親切になれるか」ということをずっと考えてきました。そういうことを考えるのは僕が「親切じゃない人間」だからです。当たり前ですよね。自分が生まれつき親切だったら、そもそも「親切にする」という言葉の意味がわからない。周囲の生物がすべて餌であるT－レックスに向かって「あなた、強いですね」と言っても「え？『強い』ってどういう意味？」と反問されると思います（爬虫類だから人語は解さないですけど）。「強い」という言葉に意味があると感じるのは「弱い」ものだけです。それと同じで、「親切にしよう」という言葉にリアリティを感じるのは「親切じゃない人間」だけです。自分がそれほど親切じゃないからこそ他人の親切が身にしみる。ああ、ありがたいなあと思う。そんなことしてもらえるとは思わなかったから。

僕は親切な人間ではありません。時々なにかのはずみに「内田さんて、意外にいい人なんですね」と驚かれることがありますけれど、それは僕の日常の挙措《きよそ》が「いい人じゃない」からです。「内田さんて、意外に親切ですね」とも言われます。意外なんです。僕はかなり心の狭い人間です。すぐ腹を立てるし、人に対して意地悪な気持ちになるし、攻撃的になると抑えが利かないことがある。つい「ひどいこと」を言ってしまう。そして「ひどいこと」を言うときって、いくらでも言葉が湧き出してくる。この本を読んで、「おい、おまえのどこが親切なんだよ。悪口ばっか書いているじゃないか」とあきれる読者がいると思います。ほんとにそうなんです。この本、読むと悪口ばっかり書いている。

だいたい、この文章からして「日本社会を深く蝕んでいる病毒」とかいう言葉から始まっている。ずいぶん無慈悲な言いようですよね。でも、そういうことを書きながら、「ああ、またやっちゃった」と思ってはいるんです。あちこちでそうやって蹴つまずいたり、こけたりしながら「消失点」としての「親切」を遠くめざしてはいるんです。その僕の素志だけは信じて頂きたい。現にできていなくても、「遠い目標をめざす」ということはできるんです。どうぞ、そういう不細工な生き方をご海容願いたいと思います。

というわけで、この論集は「尖った言葉が行き交う現代日本社会を憂えて、人に親切に接しようとしている男が、思い余ってつい『尖った言葉』を口走ってしまう」典型的な事例としてお読みいただければと思います。そんなややこしいもの読みたくないよと思う方もいるでしょうけれど、まあ、そこは一つなけなしの「親切心」を絞り出して、お付き合いください。

コロナ後の世界　目次

Ⅱ　ゆらぐ国際社会

Ⅲ　反知性主義と時間

Ⅳ　共同体と死者たち

画像　ゲッティイメージズ
装丁　大久保明子

コロナ後の世界

I　コロナ後の世界

隣組と攻撃性

市民たちの相互監視が始まっている。

GWの外出自粛を受けて、県外の車を煽ったり、傷をつけたりする事例が出ている。休業要請に従わず開業している店舗に落書きをしたり、備品に傷をつけたりする人も出て来た。

「こういうこと」ができるのは、「そういうことをしても許される社会的な空気」を彼らが感知しているからである。今なら「そういうこと」をしても処罰されない、少なくとも「私は市民として当然の怒りに駆られてやったのだ」という自己正当化ができる。そうと知ると、「そういうこと」をし始める人たちがいる。

私は「そういう人たち」をこれまで何度も見て来た。

私たちの社会は「自分がふるう暴力が正当化できると思うと、攻撃性を抑制できない人間」を一定数含んでいる。彼らがそのような人間であるのは、彼らの責任ではない。一種の病気である。

人間は「今なら何をしても処罰されない」という条件を与えられたときにどのようにふるまうかを見れば正味の人間性が知れる。これは私の経験的確信である。以前嫌韓言説について私はこう書いたことがある。すでに読んだ人もいると思うが、大切なことなので再録する。

嫌韓言説の一番奥にあるほんとうの動機は「おのれの反社会的な攻撃性・暴力性を解発して誰かを深く傷つけたい」という本源的な攻撃性である。「ふだんなら決して許されないふるまいが今だけは許される」という条件を与えられると、暴力的・破壊的になることを自制できない人間がこの世の中には一定数いる。ふだんは法律や常識や人の目や「お天道《てんと》さま」の監視を意識して、抑制しているけれども、ある種の「無法状態」に置かれると、暴力性の発動を抑制できないのである。

私たちの親の世代の戦中派の人々は戦争のときにそれを知った。ふだんは気のいいおじさんや内気な若者が「今は何をしても処罰されない」という環境に投じられると、略奪し、強姦し、破壊し、殺すことをためらわないという実例を見たのである。戦中派の人たちは、人間はときにとてつもなく暴力的で残酷になれるということを経験的に知っていた。

私も60年代の終わりから70年代の初めに、はるかに小さなスケールだが似たことを経験したことがある。大学当局の管理が及ばない、あるいは警察が入ってこないという保証があるときに、一部の学生たちがどれほど破壊的・暴力的になれるのか、私はこの目で見た。

最初は三里塚の空港反対闘争に参加したときに、学生たちが無賃乗車したのを見たことである。数百人が一気に改札口を通ったのだから、駅員には阻止しようがない。切符を買っていた私が驚いていたら、年長の活動家が笑いながら、「資本主義企業だから階級的鉄槌《てっつい》を下されて当然だ」という政治的言い訳を口にした。

しかし、降りた千葉の小さな駅で、屋台のおでん屋のおでんを学生たちが勝手に食べ出したのにはさらに驚いた。「やめろよ」と私は制止したが、学生たちはげらげら笑って立ち去った。おでん屋は別に鉄槌を下すべき資本家ではない。ただの貧しい労働者である。その生計を脅かす権利は誰にもない。でも、学生たちは「衆を恃《たの》んで」別に食べたくもないおでんを盗んだ。今なら盗みをしても処罰されないという条件が与えられると、盗む人間がいる。それもたくさんいる、ということをそのとき知った。

学生運動の渦中で多くの者が傷つき、殺されたが、手を下した学生たちにも、その人を傷つけなければならない特段の事情があったわけではない。ただ、政治的な大義名分（「反革命に鉄槌を下す」）があり、今なら処罰されないという保証があったので、見知らぬ学生の頭を鉄パイプで殴りつけたり、太ももに五寸釘を打ち込んだりしたのである。その学生たちはそののち大学を出て、ふつうのサラリーマンになった。今ごろはもう年金生活者だろう。

私はこういう人たちを心底怖いと思っている。こういう人たちを「大義名分があり、何をしても処罰されない」という環境に決して置くべきではないと思っている。だから、できるだけ法律や常識や世間の目が働いていて、「何をしても処罰されない」という環境が出現しないように久しく気配りしてきたのである。

（「嫌韓報道に潜む『ふつうの人々』の邪悪な衝動」月刊『潮』２０１９年11月号）

今、新型コロナウイルスの感染が広がる中で、行政が明確な休業指令を出さず、民間の「自粛」に委ねてしまったせいで、「自粛に従わないものには市民が処罰を下してもよい」という口実で暴力行使の正当化をする人たちが出て来た。

これは嫌韓言説に乗じて、市民生活の中では決して許容されないような卑劣で醜悪な攻撃性を発揮していた人たちと「同類」の人々である。「自粛」というあいまいな行政指導は市民たちの相互監視を督励する。そして、それは単なる監視にとどまらず、「自粛しない市民を攻撃しても処罰されない」という心証をかたちづくる。

彼らはちゃんと法律が機能し、常識が有効であり、「世間の目」が光っているときなら、そんなことはしない人たちである。しかし、少しでもその規制が緩むと、自分の中の攻撃性を抑制することができなくなる。

そのことは例えばＳＮＳで激しい攻撃的な言葉を書き送る人たちの多くが匿名であることから知れる。彼らは「自分が誰であるかを特定される気づかいがないときに過剰に暴力的になれる人間」である。

たぶん彼らは「あらゆる人間はそうだ」と思っているのだろう。でも、それは違う。世の中には、「自分が誰であるかを特定される気づかいがないとき」「処罰されるリスクがないとき」でも「お天道さま」が見ているという自制を失わず、常識的に、ジェントルに、節度をもってふるまう人がいる。「まともな」人たちである。彼らはたぶん「あらゆる人間が自分と同じだ」とは思っていない。でも、自分はそういう人間であり続けようと思っている。

　この二種類の人たちはいずれも少数派である。おそらくそれぞれ集団の10%内外だと思う。残りの80%は、このどちらが優勢であるかによってふるまい方を変える。

「どんなことがあっても穏やかに、市民的にふるまう人」はいつも同じようにふるまう。それは平時でも非常時でも変わらない。一方、「処罰されるリスクがないときに過剰に暴力的になる人」は「処罰のリスク」という可変的な条件に従って、ふるまい方を変える。まったく違う人間に見えるほど変える。人が変わる。それが可視化されるかどうかは「処罰のリスク」というごく散文的な条件によるのである。


「外出自粛」は行政が明確な基準も、それに対するペナルティも示さなかったことによって、この人たちのうちに「今なら人を攻撃しても処罰されない」という確信を醸成した。

　今、あちこちで罵声が聞こえる。スーパーの店員をどなりつけたり、ＡＴＭの列で大声を上げている人たちは全員が「自分は社会的な正義を執行している」と思ってそうしている。今なら、どれほど暴力的になっても、それを正当化するロジックがあると思ってそうしているのである。だから、止められない。彼らを止める方法は一つしかない。法律が機能し、常識が機能し、「世間の目」が機能するようにしておくことである。

大阪では休業要請に従わない店名を公表するということが行われた。これは「この店に対してはどのような攻撃的なことをしても処罰されない」という保証を間接的に与えるものである。少なくともそういう解釈の余地を与えた。大阪府知事は、人間が条件次第でどれほどでも攻撃的になり得ること、その機会をつねに窺《うかが》っているということを知らないか、あるいは知っているが知らないふりをしているのだと思う。市民が相互に監視し合い、相互に告発し合い、相互に攻撃し合う社会はおそらくある種の人々にとっては「管理コストが非常に安く上がる」社会に見えるのだろう。

ゲシュタポはきわめて効率的に反政府的な人々を逮捕していったが、それは彼らの捜査能力が卓越していたからではない。逮捕者のほとんどは隣人の密告によるものだったからである。

市民を相互監視させることによって統治コストは劇的に削減される。それは事実である。けれども、その代償として、「大義名分をかかげて隣人を攻撃し、屈辱感を与える」ことに熱中する人々の群れを解き放ってしまう。それがどれほど危険なことなのかについて、人々はあまりに警戒心がないと思う。

（2020年4月27日）

パンデミックとその後の世界

韓国のメディアから「パンデミックとその後の世界」という題での寄稿の依頼があった。これまであちこちに書いたこととそれほど違うわけではないけれども、韓国の読者が読んでもわかる話を心がけた。

ポストコロナの時代に世界はどう変わるか。この質問に答えることはそれほど難しくない。国際政治とか国際経済とか、話のスケールが大きいほど実は予測は容易なのである。おそらくグローバル資本主義はしばらく停滞するだろう、新自由主義は遠からず命脈が尽きるだろう、自国ファースト主義やナショナリズムや排外主義が蔓延するだろう、二酸化炭素の排出量が減ったせいで環境破壊のペースは少しは遅れるだろう……程度のことはたぶん誰にでも予測がつく。システムが大きいと、それだけ惰性が強いからである。

だが、それよりもスケールの小さい事象になると、わずかな入力の変化で、出力が大きく変わることがあるので予測が難しい。それでも、変わるとしたら、どこがどう変わるのか、比較的蓋然性の高いことについて予測してみる。

コロナ・パンデミックで私たちのシステムのどこが脆弱《ぜいじゃく》であるかはかなり鮮やかに可視化された。今回わかったことの一つは（あまり指摘する人がいないが）アメリカの世界戦略に大きな「穴」があったということである。

日本で最初に大規模なクラスターが発生したのはクルーズ船だったが、米海軍の空母セオドア・ルーズヴェルト号も2020年3月太平洋航行中に100人を超える感染者を出して、患者の艦外退避のために作戦行動変更に追い込まれた。ここから知れたのは、艦船は感染症にきわめて弱いということであった。同時に、軍隊という組織も、その性質上、閉鎖空間に、斉一的な行動を取る大量の人間が集住することを余儀なくされるわけであるから、感染症にきわめて弱い。つまり、艦船と軍隊は感染症に弱いのである。潜水艦は空母よりさらに感染症に弱い。乗員に許された空間の狭さと換気の悪さは空母の比ではない。

ということは、パンデミックが終息するまでは、軍事的緊張のある地域に空母を派遣して、それを母艦にして戦闘機やヘリを飛ばして制海権・制空権を抑え、潜水艦からミサイルを撃ち込むという伝統的なアメリカの海外派兵スキームが使えなくなったということである。「感染者が出て、どの艦船がいつ使用不能になるかわからない」というような条件下で作戦を立案実施することは難しい。アメリカ国防総省のスタッフは今頃頭を抱えていることだろう。

それゆえ、これまでアメリカがアフガニスタンや湾岸やイラクでやってきたような通常兵器による軍事行動について、アメリカだけでなく、どこの国も比較的抑制的になるという予測が立つ。たぶんこの予測は当たると思う。でも、予測が当たった場合には「悪いことが起こらなかった」ので、私の予測の当否は検証することができない。

「狭いところに人を押し込めるのがダメ」、「人々に斉一的な行動を取らせるのがダメ」ということになると、自動的に「都市生活は無理」ということになる。

都市生活というのは、要するに生活のリズムが一致し、行動が斉一的な人々が密集して暮らすということである。そういう環境が感染症の拡大にとっては最も適している。となると、私たち個人の生活レベルで感染症に対して抑制的な生き方はどういうものかが論理的に決まってくる。それは他の人々と生活のリズムをずらし、斉一的な行動を取らず、他の人と離れて暮らすということである。

1665年にロンドンを襲ったペストでは、最終的に46万人のロンドン市民のうち7万5千人が死んだ。ダニエル・デフォーの『ペスト』を読むと、生き残った人たちはたしかに「他の人がいないところ」にいて「他の人がしないこと」をして難を逃れた。金持ちたちは流行の初期に郊外の疎開先に逃げ出した。また、ある者は食糧を大量に買い集めて、数ヵ月にわたって家に閉じ籠っていた。逃れる先もなく、買いだめする資力もない人は、市内で仕事を続けていくばくかの日銭を稼ぎ、市場で食べ物を調達する他なかった。そういう人たちがペストに罹《かか》って死んでいった。17世紀のロンドンでは「他人とニッチを変える」ためには例外的な資力が必要だったが、さいわい21世紀には、そうするためには、それほどの資力もコネクションも必要がない。

日本でも韓国でも、若い世代の地方移住・地方離散が進んでいる。このトレンドはパンデミック以前から進行していたが、コロナ以後は地方移住・地方離散の動きが加速すると私は予測している。

農村・漁村では、人々はもともと不特定多数の人々と接触する機会の少ない生活を送っている。感染リスクは都市とは比較にならない。ふだん通りの生活をしていれば、それだけで命と健康を守ることになるというのはずいぶんストレスフリーな生き方である。

たしかにパンデミックのせいで全社会的に経済活動が縮小し、流通が滞れば、地方の生活にも影響が出るだろう。廃業したり、倒産したりする事業体も出てくるだろう。しかし、農漁村は基本的に食料を生産しているわけであるから、何があっても「食うには困らない」。

それに、どれほど社会活動が縮んでも、社会的インフラ（上下水道、交通網、通信網など）の管理運営、そして医療、教育、宗教なしに人間は生きてゆくことはできない。それらのどれかの領域において何らかの専門的な技術と知見を具《そな》えた人は、どこにいても、それを生業として何とか生き延びることができる。だからぜひ、この機会に人間が共同的に生きてゆくためになくてはならない仕事のうち、自分に何ができるかを自問してみて欲しい。

「その職務を担う人がいなければ世の中は成り立たない仕事」以外はデヴィッド・グレーバーに言わせればすべて「ブルシット・ジョブ」である。今回のコロナはあなたの仕事が「ブルシット・ジョブ」かそうでないかを判定する機会を与えてくれたはずである。

だから、コロナによって都市生活の脆弱性が露呈され、「地方で暮らすこと」の可能性を検討する人が出て来たのは、端的に「よいこと」だったと私は思う。それは、改めて「私には何ができるのか?」「私はほんとうは何をしたかったのか?」「私を求めている人がいるとしたら、それはどこにいるのか?」といった根源的な問いを自分自身に向ける機会となるからである。どんな場合でも(たとえそれがパンデミックであっても)、根源的な問いを自分に向けるのは、よいことである。

でも、この問いに急いで答えてみせる必要はない。そんなに慌てなくてもよい。「天職」「召命」のことを英語では calling とか vocation と言う。いずれも「呼ぶ」という動詞の派生語である。私たちが自分の生涯の仕事とするものは多くの場合、自己決定して選択したものではない。もののはずみで、誰かに「呼ばれて」、その場に赴き、その仕事をするようになって、気がついたらそれが天職になっていた。そういうものである。そして、多くの場合、天職となるのは、「まさか自分がそんなことを職業とするようになるとは思ってもいなかった仕事」である。

始まり方はだいたいいつも同じである。偶然に出会った人から「お願いです。これをしてください（頼めるのはあなたしかいないんです）」と言われる。先方がどういう根拠で私を選び、私にはそれが「できる」と思うに至ったのか、それはわからない。でも、こういう場合には外部評価の方が自己評価よりも客観性が高いから、それに従う。多くの人はそうやって天職に出会ってきたのである。

だから、コロナによって住みにくくなった都市を去って、地方に離散しようとする人たちに向かって、「いったいお前は、そんな見知らぬ土地に行って、何をするつもりなんだ？ちゃんと計画はあるのか？　どうやって生計を立てるつもりなんだ？」というような心配顔の問いを向ける人がたくさんいると思うけれども、それに対しては、正直に「わからない」と答えておけばよいと思う。

なぜだかわからないけれども、田舎に住みたくなった。行き着いた先で自分が何をすることになるか、それはまだわからない。だから、とりあえずしばらくは「召命」の声に耳を澄ませて過ごすことにする、と。正直にそう答えればよいと思う。というのも、「召命の訪れを待つ」ことほど人間的な時間の過ごし方は他にないからである。

「召命」と言っても、別に聖書にあるように、雷鳴が下るとか、黒雲が空を覆うとか、柴が燃えるとか、そういう劇的な装置の中で起きる出来事ではない。それはたいていの場合「ちょっと手を貸してくれないか？」というカジュアルな依頼文のかたちで到来してくる。「だって、することなくて暇なんだろう？」私の知る限り、（私自身を含めて）「天職」に首尾よく出会った人の90％はこのパターンである。

そんなふうにして、「私はほんとうは何をしたかったのか？」と自問しつつ「声がかかるのを待つ」人たちが国中に何万人も何十万人もいる世の中は、とても穏やかで、居心地がよいものになるような気がする。

コロナは多くの人の命と健康を奪い、多くの人が今経済的困窮で苦しんでいる。けれども、これを奇貨として、各国の軍事行動が抑制的になり、環境破壊が止まり、グローバル資本主義と新自由主義についての反省が始まり、自分自身の生き方について根源的な問いを向け、「召命」の声を求めて耳を澄ます人たちが出てくるなら、この疫病からも引き出し得るいくばくかの「よきこと」があったのだということになるだろう。

（２０２０年9月20日）

平時と非常時

　ここ数年、11月は韓国講演旅行に行っている。今年はコロナで中止になった。その代わりにＺｏｏｍで日韓を繋いで、いつも通訳をしてくれる朴東燮《パクドンソプ》先生にＭＣと通訳をお願いして、日韓のオーディエンスに向けて、11月2日と3日に「ポストコロナの社会」について90分の講演をした。3日の講演では「平時と非常時」について話した。忘れないうちにどんなことを話したか記録しておく。

　事前にもらった質問票には次のような質問が含まれていた。

「市民が享受している自由と感染症対策としての自由の制限の矛盾をどう考えるべきですか？」

「ふだんはリベラルな人が政府や知事の要請する行動制限に従うのはおかしいという人がいますが、どう考えるべきでしょうか？」

「未知のウイルスに対する恐怖を利用して強権的な政治が行われるリスクはあるでしょうか？」

日韓いずれでも市民が抱く不安には通じるものがある。私の回答は次のようなものである。

平時と非常時では判断基準が変わる。平時では行動制限を拒否する市民が、非常時には受け入れるということはある。ただし、受け入れるには一つ条件がある。その話をしたい。

平時の判断基準を非常時にも持ち込むことを「正常性バイアス」と呼ぶ。自分の身にとって不利益な情報を無視したり、リスクを過小評価する心的傾向のことである。特に自然災害などのときに逃げ遅れの原因となる。

韓国のセウォル号事故のときは、フェリーが沈み始めても、最初に出された「船室にとどまるように」という指示を受け入れて、避難行動をとらなかった高校生たち300人が溺死した。

東日本大震災でも、大川小学校で下校準備中に地震が起き、児童たちは校庭に避難した。一部の児童は教師の指示に逆らって自主的に避難行動をとって生き延びたが、ふだん通り教師の指示に従って斉一的な行動をとった児童たちは溺死した。

御嶽山噴火のときも、避難行動をとらずに噴火口近くにとどまり、携帯で噴火の様子を撮影していた者たちが死亡した。

どれも非常時に際して「ふだん通り」に行動した人たちが致死的なリスクを冒した。平時から非常時への「スイッチの切り替え」は難しい。日常生活ではあり得るリスクを過大評価していると生活上不自由が多いからである。青信号でも車を止めて左右確認をしたり、電車のホームで柱にしがみついて転落を避けたり、停電を恐れてエレベーターには乗らないというようなことをしていると日常生活が不便でしかたがない。だから、私たちは惰性的に「非常事態というのはあまり起こらないものだ」というふうに考える。そして、たしかにそうなのである。

新型コロナウイルスの感染拡大でも、「自分は感染しない。感染しても軽症で済む。私が他人に感染させることはない」というふうに考える正常性バイアスが働く。必ず働く。だが、非常時というのは「正常性バイアスがもたらすリスクが劇的に高まる状況」のことなのである。だから、どこかで平時から非常時にコードを切り替えて、正常性バイアスを解除しなければならない。

問題は「正常性バイアスを解除する」というのがどういうふるまいのことか、よくわかっていないということである。

それを単に「いたずらに恐怖する」「過剰に不安になる」というふうに解釈すると、正常性バイアスの解除は困難になる。いかにも「恰好悪い」し、どう考えても「生きる力を高める」ふるまいではないように思えるからである。恐怖や不安に取り憑かれて浮足立っている人間と、非常時にもふだん通りに落ち着いている人間のどちらが「危機的状況を生き延びられるか?」と考えたら、誰でも後者だと思う。

『史上最大の作戦』では、ノルマンディー上陸作戦で最悪の戦場となったオマハビーチで、ドイツ軍の機銃掃射を受けながら葉巻をくわえて海岸を歩くノーマン・コータ准将の姿が活写されている。彼の落ち着いた適切な指示によって連合軍兵士は防御線の突破に成功するわけだが、彼はどう見ても恐怖心に取り憑かれているようには見えない。だが、彼は「正常性バイアス」に固着していたせいでそうしていたわけではない。歴戦の軍人としてちゃんと「非常時」へのスイッチ切り替えは行っているのである。それは「自分が見ているものだけに基づいて状況を判断しない」という節度を保つことである。たぶんそうだと思う。

　正常性バイアスの解除とはいたずらに怖がることではなく、自分が見ているものだけから今何が起きているかを判断しないこと、自分が現認したものの客観性・一般性を過大評価せず、複数の視点から寄せられる情報を総合して、今起きていることを立体視することである。「主観的願望を以て客観的情勢判断に替える」のが正常性バイアスの効果だとしたら、正常性バイアスを解除するとは「客観的情勢判断を以て主観的願望に替える」ことである。主観をいったん「かっこに入れて」、複数の視点から対象を観察するのである。フッサールが「エポケー（現象学的判断停止）」と呼んだのは、まさにこのような知的態度のことである。別に天変地異のとき専用のマインドセットではない。それは「存在するものを、その完全な確実性のもとで、ありのままに把握しよう」と望むなら、誰でも、いつでもしていることである。

　私たちの周りで時々見かける「コロナ・マッチョ」たち（マスクをすること、ソーシャル・

ディスタンシングをとること、頻繁に手指消毒をすること、人が密集する場を忌避すること などを「怖がり過ぎだ」と批判したり、嘲弄する人たち）の共通点は「私の周りでは死者も、重症者もいない」というところから推論を始めることである。

「私の周り」で現認した事実をもってさしあたり「客観的事実」であるとみなす態度は、他人からの伝聞を軽々には信じないという点では現実主義的であるし、それなりに成熟した態度であるとも言える。けれども、これは正常性バイアスの一つの典型なのである。正常性バイアスは「非常事態というのはなかなか起きるものではない」という蓋然性についての判断としては適切だが、自分の個人的な感覚や知見の客観性を過大評価するという点では適切でない。

こういう人の対極に、ふだんからものごとを複眼的にとらえる習慣を持っている人がいる。自分が現認したことはあくまで個人的、特殊な出来事であり、そこからの推論は一般性を要求できないという知的節度を保つことのできる人である。彼らは、いわば日常的に正常性バイアスの装着と解除を繰り返していることになる。こういう人は非常時になっても「驚かされる」ということがない。

非常時というのは「自分以外の視点からの情報の取り込みを一気に増大させないと、何が起きているかよくわからない状況」のことである。だが、日常的に「自分以外の視点からの情報の取り込み」を行っている人にとっては、これは「スイッチの切り替え」というよりは、

「ヴォリュームを少し大きくする」くらいのカジュアルな動作に過ぎない。だから、そうすることにそれほど激しい心理的抵抗を感じずに済む。ということは、日常的に「他者の視点」から目の前の現実を眺めることに慣れている人間が最も非常時対応に適しているということになる。

以上のような知見を踏まえると、質問票の答えも自ずから導かれる。

政府が市民に対して行動制限を指示することができる条件は一つしかない。それは政府の方が一般市民よりも複眼的に事態をとらえており、何が起きているのかについて正確に理解していると市民が信じているということである。政府はいかなる私念も、いかなる党派性も、いかなる偏見もなく、現実をありのままに見ているということを市民が信じているということである。その条件を満たしているならば、政府は市民的自由の制限を要求することができるし、多くの市民は特段の心理的抵抗なしにその指示に従うはずである。

コロナ禍の中で、市民的自由について強い規制を行うことができた国は、政府が「全国民の健康を等しく配慮している」ということを市民たちが信用した国である。逆に、強い規制ができなかった国は、市民たちが政府の公平性・公共性を十分には信じておらず、市民的自由の規制が、政権やその支持者にのみ利益をもたらし、一般市民に不利益をもたらすものではないかという疑念を払拭し切れなかった国だった。そして、日本は後者である。

非常時において「緊急事態だから政府に全権を委ねよう」という気持ちに市民がなるため

には、平時においても「政府はつねに公共の福祉のために行動しており、全国民の利害を、支持者・反対者にかかわらず等しく配慮している」と市民たちが信じていることが必須の条件となる。平時においてネポティズム（縁故主義）的な政治を行っている政府が、非常時においてだけは正常性バイアスを解除して、全国民に等しく配慮するようになるだろうと信じる者はいない。

（2020年11月4日）

「生きている気」がしなくなる国

安倍政権7年8ヵ月をどう総括するかと問われたら、私は「知性と倫理性を著しく欠いた首相が長期にわたって政権の座にあったせいで、国力が著しく衰微した時代」という評価を下す。

日本は今もGDP世界3位だし、軍事力でも世界5位の「大国」である。国際社会の中では「先進国」として遇されているし、アメリカの東アジアにおける最も信頼できる同盟国であるという評価も得ている。けれども、日本が「あるべき国際社会」についての向日的なヴィジョンを語っており、その実現に向けて強い指導力を発揮していると信じている人々は国内外にはいない。経済的成功のための「日本モデル」や、世界平和実現のための「日本ヴィジョン」を日本政府が提示することを期待している人もいない。どこにもいない。これだけの「国力」がありながら誰も日本にリーダーシップを求めていない。そのことに、われわれはもっと驚くべきだと思う。

どうして国際社会は日本にリーダーシップを求めないのか？

それは日本人が「倫理的インテグリティ（廉直、誠実、高潔）」というものに価値を見出さない国民だと思われているからである。そして、倫理的なインテグリティを重んじないと思われている国は、いくら金があろうとも（もうあまりないが）、いくら軍事力を誇ろうとも、いくら「日本スゴイ」と自ら言い募っても、誰からも真率な敬意を示されることがない。

あまり言う人がいないが、人間は他者からの敬意を糧にして生きる存在である。それなしでも生物として生きることはできるけれど、人間としては生きている甲斐がない。だから、他者からの敬意を獲得するために、人間は日々さまざまな工夫をし、さまざまな「痩せ我慢」をしているのである。けれども、日本はいつのまにか「他者からの真率な敬意」を国際社会の誰からも寄せられない国になった。だから、日本人はゆっくりと「生きている気」がしなくなりつつある。それが「国が衰微している」ということである。

国が倫理的なインテグリティを持つとき、国民もそれを分有する。国が高邁な理想を掲げているときには（仮にそれがかなりの部分まで勘違いであったとしても）、国民はその国の一員であることを誇らしく思う。国が英雄的にその歴史的使命を果たしているときには、国民もまた自分も個人的に英雄的にふるまうべきだという可憐な気負いを覚える。

独立戦争のときのアメリカも、ナポレオン時代のフランスも、レーニンのソ連も、（短期的にではあったけれど）国民たちがおのれの個人的運命と国家の運命がリンクしていると信じていた。そして、そのような「関係妄想」が市民のうちに深く根づいているとき、その国は強い。軍事的にも強いし、経済的にも勢いがあるし、文化的発信力もある。

それとは逆に、国民の多くが「私の個人的努力の目標はあくまで自己利益の増大であり、私の努力が国力増大に結びつくような回路は存在しない」という白けた気分でいるときに、国全体のパフォーマンスは下がる。国際社会から侮《あなど》られ、経済活動は低迷し、イノベーションも起きない。日本は今そういう国になった。なぜか？　「国家主義」を標榜《ひょうぼう》する安倍政権下で日本国民が「私」と「国」との一体感を失ったからである。

7年8ヵ月の安倍政権を眺めて国民が学んだのは、政治家であれ、官僚であれ、財界人であれ、メディアのトップであれ、彼らの行動は「国民全体の福利」をめざすものではないということであった。彼らは自分自身、自分の党派、自分の支持者、自分の縁故者のためにその権力を排他的に使用する。そのことを私たちは思い知らされ、受け入れてきた。「公権力を私利のために使うことができる人間のことを『権力者』と呼ぶ」というシニカルな事大主義を人々は今「リアリズム」と呼んでいる。「勝ったものは正しかったから勝ったのだ。多数を制した党派は真理を語ったので多数を制したのだ」という現実肯定の思考停止のうちに多くの日本人は埋没している。そして、それがこの劇的な国力衰微の理由だと私は思う。

実際に安倍政権が通した重要法案の多くについて、安保法制も、特定秘密保護法も、テロ等準備罪も、世論調査で国民の過半は「今国会で強行採決すべきではない」という意思表示をした。だが、政権はこれを強行し、支持率はいったんは落ちたものの、すぐに回復した。

つまり、有権者たちは「この政権は私たちが反対しても何の影響も受けないほどに強大な権力を有している。そうである以上、服従すべきだ」という腰砕けな推論をし、そういう思考習慣になじんだ自分を「リアリスト」だと自認してきたのである。なんと。

閉じられた政治的空間の中であれば、安倍政権はこの「リアリズム」を心理的基礎にして、あと数年あるいはそれ以上にわたって盤石の体制を続けられたかも知れない。しかし、この政治的リアリズムは新型コロナウイルスによるパンデミックという「リアル」にはまったく通用しなかった。

相手が人間なら、恫喝したり、懐柔したり、必要とあらばデータを改竄《かいざん》すれば、「感染症は完全にコントロールされており、政府の施策はすべて成功した」と言って黙らせることができるだろうが、残念ながら、今回の政治的危機の相手はウイルスである。ウイルス相手にはマヌーヴァー（策略）は通用しない。

先般、世界23か国の人々に、コロナ対策に際して自国指導者の評価を求めたアンケートが行われた。日本政府の対応を「高く評価した」人は日本国民の5％にとどまった。世界平均は40％。中国は86％、ベトナムは82％、ニュージーランドは67％、死者数世界最多のアメリカでさえトランプのコロナ対策を「高く評価する」国民は32％いた。

この数字は感染を効果的に抑制し得たかどうかという事実とは直接の相関がない。例えば、欧米に比べての死者数の少なさを強調して、「日本政府は感染抑制に成功した」と言い張ることは可能である（現に日本政府はそうしたきた）。けれども、日本国民は政府が感染抑制に失敗したことを知っていた。

国難的時局において必要なのは、指導者が国民全体の福利と健康と安全をめざしていると信じさせることである。けれども、日本国民はそれを信じなかった。「日本の指導層は自己利益と自分の支持者・縁故者の便益しか配慮しない」ということをずっと前から国民は知っていた。内閣支持者たちでさえ、政権は自分たち支持者のためになら選択的に何か「よきこと」をしてくれることはあっても、全国民の福利を等しく配慮することはないと知っていた（そもそもこの政権は「えこひいき」だという事実が彼らが内閣を支持する大きな理由なのだから）。

感染症は全国民が等しく良質な医療を受けることができる体制を整備することでしか収束しない。しかし、安倍政権は支持者のみに選択的に利得をもたらし、反対者には「何もやらない」ことによって「一強体制」の心理的基礎を打ち固めてきた。内閣支持率が30％を超えているのに、感染症対策を高く評価するものは5％しかいなかったのはそのせいである。この30％から5％を引いた残りの25％は、「感染症対策は評価できないけれど、（その他の政策がよいから）内閣を支持する」という人々と「全国民の健康を等しく配慮しない政府だから内閣を支持する」という人々の両方を含んでいる。

安倍政権は国民を支持者と反対者に二分し、「反対者には何もやらない」ことによって権力を畏怖し、服従する国民を創り出そうとしてきた。そして、それにかなりの程度まで成功した。だから、彼が権力基盤を強固にするにつれて、日本人はどんどん「リアリスト」になり、誠実や正直や公平といった「きれいごと」を鼻先でせせら笑うようになり、そしてまさにそうした道徳的にシニカルな態度ゆえに国際社会において誰からも真率な敬意を示されることがなくなった。

人間は他者からの敬意を糧として生きる。それを失ったものは「生きている気」がしなくなる。日本人は今そのようにして国力の衰微を味わっているのである。「誰の責任だ」と声を荒立てても仕方がない。

（2020年8月29日）

失敗を検証しない日本の統治システム

今年（2020年）1月中旬以降の9ヵ月間、新型コロナウイルス感染症のパンデミックによって、日本の統治システムの問題点が露呈した。しかし、政府は自らの無謬性《むびゅうせい》を維持するため、失敗を認めず、「死者は少なかったし、日本は感染症対策に成功した」と総括している。これからもその主張を取り下げることはないだろう。感染症対策に成功した以上、改善の余地はない。だから、この欠陥だらけのシステムはこれから後も補正されず温存されるはずである。

「選択と集中」を金科玉条とするビジネスマンたちは久しく「ジャストインタイム生産システム」を理想としてきた。必要なものは、必要なときに、必要な量だけ市場で購入すればいい。そうすれば「在庫ゼロ」で利益は最大化するはずだった。

しかし、パンデミックはそのような経営者的発想が感染症に対してはまったく無効であることを明らかにした。

感染症のための医療資源は、感染症が流行していないときには「不良在庫」にカウントされる。マスクも防護服も人工呼吸器も感染症用の陰圧室や隔離病棟も、感染症の専門医さえも、感染症が流行していないときには使い途がない。病院経営における重要な目標の一つは「病床稼働率100%」であるが、感染症専門病棟のベッドは、感染症が流行しているとき以外は稼働することがない。だから、日常的に高い病床稼働率を誇りたい病院は、感染症のために医療資源を割くことを喜ばない。

アメリカであれほど悲惨な医療崩壊が起きたのはそのせいである。アメリカの病院経営者は日本よりはるかに経営者感覚が徹底している。防護服とマスクの戦略的備蓄は感染が始まった時点では必要量をまったく満たすことができなかった。その結果、アメリカは世界最多の感染者数と死者数を出すことになった。

リスクヘッジというのは「無駄になるかも知れないけれど、危機的状況のときにはなくては済まされないもの」を備えておくことである。いわば「丁半ばくちで丁の目と半の目の両方に張る」ことである。何が起きても破局的事態にはならないが、何も起こらなければ半分が無駄になる。だから、リスクヘッジは「選択と集中」戦略とひどく相性が悪い。

次の感染症に備えて対策を講じるつもりなら、政府は「選択と集中」を棄てて、リスクヘッジに軸足を移すべきである。でも、外から見る限り、政府はまったくこのシフトに乗り気ではない。日本版CDC（疾病予防管理センター）の設立も、検査体制の改革も、感染症病棟の拡充も、保健所の増設も、真剣に検討している様子がない。それは「真剣に取り組む」ということは今回の感染症対策の失敗を認めることになると政府が考えているからである。

だが、感染症のアウトブレイクは21世紀に入って、ＳＡＲＳ、新型インフルエンザ、ＭＥＲＳ、新型コロナとこれですでに４回目である。人獣共通感染症は人類が環境破壊を続ける限りこれからも繰り返し人類を襲うだろう。これからも間歇《かんけつ》的にパンデミックが起きることを前提にしてわが国の医療システムは作り直されなければならない。だが、システムを補正するためには、何が不足していたのか、何を見落としたのか、何を過小評価し、何を過大評価したのか、対策起案プロセスのどこでミスを犯したのかを徹底的に洗い出す必要がある。

失敗を検証し、不具合を補正する努力のことをレジリエンス（復元力）と呼ぶ。失敗を検証しなければ、システムの不具合は補正されない。自分たちのしてきた政策の無謬性にしがみつく政府に復元力は期待できない。

この９ヵ月間の日本政府の感染症対策は科学的エビデンス（証拠）を軽んじ、ひたすら政治効果を優先させてきた。それはアメリカも同じで、トランプ大統領は感染拡大の初期にウイルスの感染力や致死性を意図的に過小評価した。「国民をパニックに陥れないため」と言い訳しているが、実際には11月の大統領選挙に備えて、大統領はパンデミックを適切にハンドルできているという印象を選挙民に刷り込むことを優先したのである。

日本の場合は２０２０年７月に東京五輪を予定通り開催することが、感染初期でも政官財メディアの最優先課題だった。そのような大規模イベントを実施するためには、日本政府は感染症を完全にコントロールしているという「印象」を国内外に喧伝する必要があった。だから、検査数を抑制し、感染の実態を明らかにすることよりも、感染者数を低く見せることにこだわったのである。

五輪延期が決まった以上、政府は感染の実態を開示し、対策に真剣に取り組むべきときを迎えたのだけれど、依然として政府は「これまでの対策は適切だった」と言い続け、感染リスクを過小評価し続けている。

ウイルスの特性やふるまいについてはわからないことが多すぎる。だから、政府の対策が「ころころ変わる」ことは少しも悪いことではないと私は思う。新しいデータが入力されたのでこれまでのやり方が否定されて、新しいやり方が採用されるというのは、システムに可《か》塑性《そせい》があり、復元力があることの証である。システムが健全なら、未知の感染症についての政策は「ころころ変わる」のが当然なのである。ただし、その場合でも、そのつど、これまでのやり方のどこに瑕疵《かし》があり、どのような新しいデータが出てきたせいで、それがどう修正されたのかを開示しなければならない。自然科学における学説の進化はつねにそのようなプロセスをたどるからである。

政策が科学的であろうとするなら、採択された対策について、目標は何か、どのようなアウトカムに基づいて対策の適否は判断されるのか、プランAが失敗と判断された場合のプランBはいかなるものか……程度のことについては、対策を始める前に開示されるべきである。

だが、日本政府の対策ではそもそも「目標」が数値的に示されなかった。それでは、どういう数値が出れば「成功」で、どういう数値が出れば「失敗」かを判断することができない。でも、政策起案者が無謬性に固執すると、必ずそういうことになる。失敗することを受け容れない政府は政策の成否の判断基準を示さない。ただ「全力で取り組む」と約束し、「全力で取り組んだ」と自己評価するだけである。

大事なことなのでもう一度書くが、未知のウイルス相手の話なのだから、対策がうまくゆかなくても誰も責めることはできない。少なくとも私は政府を責めない。けれども、個々の対策の成否について国民に報告し、何をどう補正したのかを説明することは政府の国民に対する義務である。それを怠ったことについて私は政府を責める。

世界中の政治指導者たちは、ドイツのメルケル首相も、イギリスのジョンソン首相も、ニュージーランドのアーダーン首相も、感染症の実態についてそのつど詳細に事実を伝え、どのような対策を講じているかを説明し、その成否について報告し、誰がいかなる責任を負うべきかを明言した。これは日本の総理大臣がまったくしなかったことである。彼は国会答弁も記者会見も避け続け、直接国民に呼びかけることをせず、黙ってお茶を飲み、犬を抱いている「無言」の動画を配信してみせた。

言質をとられることを病的に恐れる政治指導者は最も「科学的」と縁遠い人である。科学的というのは、カール・ポパーの定義に従えば、できるだけ反証しやすいような仕方で仮説を提示することだからである。客観的な指標に基づいて、成否の判断ができるような仕方で政策を立案し、説明する態度のことを「科学的」と呼ぶのである。どのような反証事例が提示されても、「解釈の違いだ」とか「誤差の範囲内だ」とか言い逃れるような人間は政治家にはなれても科学者にはなれない。そして、感染症対策は政治問題であるより先に科学の問題なのである。

今後ワクチンや治療薬が開発されればパンデミックは収束する。しかし、いつ、どこの国がワクチンを開発するかで、それからあとの世界の風景は一変する。あるいはＨＩＶ（ヒト免疫不全ウイルス）のように何十年経ってもワクチンは開発されないかも知れない。どうなるかは誰にも予測できない。

今わかっていることは、ワクチンが全世界に広く行き渡るまでは、感染症が抑制できなかった国では経済活動がひたすら縮減していくということである。もしこの秋冬に第三波が到来するようであれば、日本では中小企業を中心に大規模な廃業・倒産が起きるだろう。それによって生業と生活基盤を失う人たちが大量に発生する。アメリカではすでに失業者が２８００万人を超えた。彼らは人獣共通感染症という「天変地異」によって生業を失ったのであって、これを「経営努力が足りない」とか「先見性がない」とかいって自己責任に帰することはできない。誰のせいでもない。この生業を失った人たちをどう支援し、救済していくのか、これは政治の問題である。

大規模な雇用消失が起きることが予測されているまさにそのときに、狙いすましたように菅義偉新首相は「自助・共助・公助」というメッセージを掲げた。それが政権の最初のステートメントだったのである。「まず自助努力をせよ。自助が無理なら周りを頼れ。国や自治体に頼るのは最後だ」と高らかに宣言したのである。

ご承知の通り、「自助」を先にし「公助」を後にして、社会的弱者の自己責任をうるさく言い立てたのは1980年代のサッチャー主義である。彼女はきっぱりと「社会などというものは存在しない」と言い切った。社会的な成功も失敗も自己責任であり、敗者が公的な支援を求めるのは公正を欠くとして、富裕層を優遇し、貧困層に負担増を強いた。

その結果、英国の福祉制度は破綻して、「アンダークラス（下層階級）」や「チャヴ（「粗野な若年下流階級」を指す蔑称）」といった社会的脱落者の集団を生み出した。

「自助」に頼った英国の福祉政策の歴史的失敗を知った上で菅首相は「自助」を掲げたのであろうか。知った上であったとすれば、英国と同じ失敗を繰り返すつもりだという決意を表明したということであり、知らなかったとすれば、福祉についての理解があまりに浅いという他ない。

平時であれば、経営の失敗による廃業・倒産について「まず自助努力を」と言うのは筋が通っている。けれども、今日本中で起きている廃業・倒産の原因は感染症である。個人の努力では防ぐことができない公衆衛生マターである。その被害者を「自助」で突き放すのは、政治家としての任務放棄である。

今は非常時である。だから支援の順序は「公助・共助・自助」であるはずだ。まず生活を保障し、雇用を創出し、生業を担保する。大恐慌のとき、ルーズヴェルトの「政府が最後の雇用者になる」という哲学だけが社会秩序を維持できたという歴史的事実を菅首相は知らないわけではあるまい。

パンデミックの数年前から、アメリカではＡＩ（人工知能）の導入によって大量の雇用喪失が起きることを予測し、それがどのような社会的混乱を引き起こすか、それがもたらすダメージを最小化するために政治は何をすべきかを議論してきた。

馬車が蒸気機関車に切り替わるまでには一世代以上の時間がかかった。だから、馬具商や馬車屋には転業するだけの時間的余裕があった。手動運転から自動運転への切り替えはもっと短い時間に、かつ大規模に行われる。予測ではトラック運転手をはじめ３００万人のプロ・ドライバーが失職する。それを「ＡＩの出現を予測できずに、雇用がなくなるような業種に就職した人間の自己責任」として無業のまま放置することはできない。その予測を踏まえて、ベーシックインカム（最低所得保障制度）の導入、就労支援などの政策提言がアメリカでは始まっている。

しかし、同様の議論は日本ではほとんど行われていない。「全国民に７万円給付」する代わりに福祉制度の全廃を提案して「観測気球」を上げてみせたが、ベーシックインカムについての議論の蓄積があったら、こんな無内容な提言が出てくるはずがない。危機感がないのか、現実から目をそらしているのか、あるいはその両方か。

ドイツではベーシックインカムの実験が始まっている。月15万円を現金給付するグループと給付を受けないグループを3年間比較して被験者の社会的ふるまいの変化を見て、給付が労働意欲や生活態度に与える影響を調査する。「観測気球」を上げる暇があったら、それくらいの事前調査をしてからにしてほしい。

富める者と貧しい者の階級格差が広がり、階層が二極分化したところをパンデミックが襲ったわけだから、本来なら社会不安が高まってよいはずなのだが、ここ数年の日本は戦後史でも稀に見るほど政権が安定している。それはなぜか。

国民が政府に不満を抱かないからである。どれほど自分たちが貧困化しても、権力や財貨や文化資本が一部の階層に排他的に蓄積されても、政治家が縁故政治で私腹を肥やしても、国民の半数近くは黙って政権を支持している。そういう意味で、日本は今「先進国の中で最も統治しやすい国」になっていると思う。

例えば、中国の国民監視システムは世界一だが、それを開発し、管理運用するために中国政府はすでに国防費を超える支出を余儀なくされている。それは外敵の侵入リスクよりも、自国民による反乱リスクの方が高いと北京が判断していることを意味している。中国政府はそこまで自国民を恐れているということである。

だが、日本ではまったくそんな必要がない。共謀罪とかマイナンバーとか、政府は時々思いついたように国民監視システムの強化を試みるが、そんなシステムに莫大な予算を投じる必要はないと私は思う。そんなことをしなくても、国民の過半は黙って政権に従っており、反政府的な言動をする同胞を自主的に監視してくれている市民さえいる。こうして、日本の統治コストは先進国で最も低いレベルに抑えられている。この望外の幸運から与党政治家が学んだのは、中産階級が空洞化し、階層が二極化すると、むしろ政権基盤は安定するという逆説だった。

近代史は、中産階級が勃興すると、市民の権利意識が高まり、それが民主化闘争につながるということを教えている。たしかに韓国でも香港でも台湾でも、東アジアではその通りのことが起きた。けれども、その逆を経験した国はまだない。日本がその「逆コース」の最初の事例になるかも知れない。

日本で社会が最も荒れて、市民たちが街頭に繰り出し、機動隊との衝突が繰り返されたのは、１９６０年代から70年代にかけてである。そして、それはまさに高度成長期のただ中の「一億総中流」が実現した時期と重なる。

豊かになるにつれて、日本国民たちはしだいに反体制的にふるまうようになった。労働運動、学生運動、市民運動の過激化も、革新自治体の全国への広がりも、中産階級の勃興と連動している。中産階級が分厚くなるにつれて、政治参加の意識が高まり、政治活動が活性化する。当然統治コストは高騰する。１９６６年から70年の5年間というのは、私の記憶する限りでは、最も日本の市民が政治的統制に反逆した時代だけれど、その5年間の経済成長率は平均10・９％で戦後最高を記録した。つまり、過激派の学生たちによって全国の大学が「無法地帯」化していたそのときに、日本経済は信じられないような急角度で成長を遂げていたのである。

中産階級の興隆は経済の活性化と政治の過激化を同時的にもたらす。それは少なくとも日本においては揺るぎない歴史的事実である。残念ながら、60歳以上の人間なら誰でも知っているはずのその事実から何らかの有益な「法則」を引き出した人はいなかったように思う（とりあえず私はそのような人がいることを知らない）。

だから、「どうして現代日本では、経済的停滞と政治的静寂が同時的に起きているのか？」という問いに私は同じロジックで答えることができると思っている。

日本が「こんなふう」になってしまったのは、中産階級の没落を積極的に推し進めたからである。

もちろん、人口減と高齢化ということが刻下の社会的停滞の最大の原因であることについては私も異存はない。けれども、それを勘案した上でも、できるだけの経済的支援を保証し、できるだけ多くの政治的自由を市民（とりわけ若い人たち）に保障することが、日本がV字回復するためには必須であることは容易に推論できるはずである。

でも、今日本の指導層が採っているのは、それとはまったく逆方向の政策である。市民の政治的自由をさまざまな仕掛けによって限定し、中産階級を経済的に痛めつけ、富を富裕層に排他的に蓄積させ、若年層を貧困状態に釘付けにしている。その随伴現象として、市民の権利意識はますます希薄化し、政治への関心は日々消失している。その結果、国家の統治コストはたしかに最小化した。今や政府がどんな悪政を行っても、実力を以てこれに抗議する運動が国民的広がりを持つということはまず起こらない。もし、「為政者が市民の反逆をまったく勘定に入れずに統治することができる国」ランキングというものがあれば、日本は間違いなく先進国第1位の座を獲得するだろう。

この輝かしい統治モデルを、日本の政治家たちは市民的自由の掣肘《せいちゅう》と中産階級の窮乏化を積極的に推し進めることによって達成した。マルクス主義の教科書的理解とは裏腹に、日本においては市民の無権利化は社会不安を醸成せず、むしろ統治の安定をもたらした。7年8ヵ月の安倍政権がもたらした歴史的教訓があるとすれば、それはこれだろう。

だとしたら話は早い。自民党が今後も長期政権をめざすなら、今よりもさらに社会的弱者を孤立させ、衰弱させ、連帯する気力も政府批判する知力も社会改造をめざす意欲も、根こそぎ奪えばよい。私がもし自民党のシンクタンクに招かれたら（招かれないが）、そう提言する。菅政権が「自助」を掲げて、社会的弱者のさらなる没落を加速させようとしているのは、その点では、まさに合理的な選択だったのである。

もちろん統治コストの最小化の代償は大きい。政権基盤は安定するだろうけれども、経済力も学術的発信力も文化的生産力も、すべての国力指標はひたすら下がり続ける。人口は減り続け、市場は縮減し続け、学術活動も芸術活動も低迷し、いかなる領域でもイノベーションが起きない「活気のない社会」が出来上がる。

それでも構わない。国民が死んだような顔をしている国の方がそうでない国よりも統治しやすいというのは、たしかにその通りなのである。統治コストの最小化のために国民を無気力化することは有効である。もちろん、そんな国は遠からず滅びる。それでもいい。今のうちに残った国民資源をかき集めて懐に収め、日本が滅びる前にさっさとシンガポールかハワイにでも移住する、というようなことを本気で考えている人間が今の日本では「リアリスト」と呼ばれているのである。亡国までのカウントダウンはもう始まっている。

（月刊『潮』２０２０年12月号）

コロナ対策の特措法について

　新型インフルエンザ等対策特措法改正案について、自民党と立憲民主党が修正合意して、論点となっていた入院を拒否した感染者に対する懲役刑は削除され、刑事罰である罰金は行政上の軽い禁令違反についての過料に改められた。

　少しだけ安心したが、当初案にあった入院拒否者は「1年以下の懲役か100万円以下の罰金」という規定に私は強い不快と不安を覚えた。ここには今の政権の危険な本性が露呈していたと感じたからである。

　緊急事態において、政府や自治体が市民に私権の制限を要求することにはそれなりの合理性がある。だから、世界中のどんな国にも、そのような法制が存在する。だが、私権の制限が許されるのは、公的機関がやるべきことはすべてやり尽くして、あとは市民に公共的なふるまいを求める以外に手立てがないという場合に限られる。政府や自治体が私権の制限について抑制的になるべきであるのは、その前段に「やるべきことをやり尽くした」という条件が付されているからである。果たして今回の特措法改正案の起案者は「やるべきことはやり尽くした」と言い切れるだろうか。

朝日新聞の最新世論調査では政府のこれまでの感染症対応を「評価しない」は63%で、「評価する」の25%を大きく超えた。二度目の緊急事態宣言についても宣言発令が「遅すぎた」とするものが80%に達した。そのような厳しい世論の評価の中で出された改正案が市民の私権制限を前面に出してきたのである。これは政府が感染拡大の主因は「市民の努力不足」だとみなしているということを意味している。感染拡大の責任を「市民の努力不足」に転嫁したことに多くの市民は怒りを覚えたのだが、それ以上に大きな問題は感染者を「犯罪者」に、病院を「牢獄」に見立てる発想がこの改正案に伏流していたことである。

感染者を犯罪者に類比するのは、この改正案の起案者が「健康は自己努力の成果である」と考えていることをはしなくも露呈している。健康管理の努力が足りない者が病気になるのである。だから、病者は「病気になった責任」を負わねばならない。無意識のうちにでもそう考えていなければ、このような文言は頭に浮かばない。そして、もしすべての病気がつくるところ自己責任であるのだとしたら、そこから「病人のために公的支援をするべきではない」という優生思想まではあともう一歩しかない。

与党議員たちは自分たちには会食自粛は適用されないと思っているようであるし、一般市民には許されない優先的な治療を当然のように受けている。彼らはおそらく公的資源は「力のある者」に優先的に分配されるべきだと無邪気に信じているのだろう。だから、「力のない者」（そこにはコロナ患者も含まれる）には公的支援を求める「権利」請求より先に、感染を拡大させない「義務」を求めるのである。
「強者が総取りし、弱者には何もやらない」という政治思想において安倍・菅両政権は実に首尾一貫している。

（「信濃毎日新聞」2021年1月30日）

後手に回る政治

菅義偉首相の長男が勤める放送事業会社東北新社から接待を受けていた総務省官僚たちが処分されたのに続いて、山田真貴子内閣広報官が辞職した。山田氏の場合、当初「会食の記憶はない」と答弁していたが、総務省が会食の事実を明らかにすると一転して謝罪。しかし、その後も会合の詳細を明らかにせず、給与の一部返納での幕引きを図り、菅首相も続投の考えを示したが、それがまた一転して辞職に追い込まれた。

「一転して」ということが菅政権では頻発している。最初は強気で乗り切るつもりでいたものが、世論の批判が収まらずに、ずるずると押し切られて前言撤回というのは、ＧｏＴｏキャンペーン、懲役・刑事罰を盛り込んだ特措法改正案、今回の山田氏の人事と連続している。

政権基盤が脆弱であるせいだという説明記事を見るが、それは因果関係が逆のような気がする。むしろ菅政権が本質的に「後手に回る」体質なので、政権基盤が削り取られているのではないかと私は考える。

人間は運がいいときには「先手を取り」、運が悪くなると「後手に回る」というものではない。「後手に回る」人間は必ず後手に回る。それは一つの心的傾向なのである。そして、私たちの社会はそのような心的傾向の涵養《かんよう》にたいへん熱心である。だから、総理大臣までがその見本を見せてしまうことになる。

「後手に回る」というのは、まず「問い」が与えられ、それに対して適切な「答え」をすることが求められているというスキームでものごとをとらえる習慣のことである。そんなことを言うと驚く人がいると思うが、そうなのである。つまり、私たちは子どもの頃から「後手に回る」訓練をずっとされ続けているのである。長じて何をしても「後手に回る」人間に育っても無理はない。

私たちはまず学校で「教師の出した問いに正解する」ことだけが教育の目標であると教え込まれる。これは「後手に回る」ことを制度的に子どもたちに強いているということである。教師の出す問いに正解すれば報酬があり、誤答すると処罰される。この形式で状況に処することに慣れ切った子どもたちは、「後手に回る人間」へ至る道を粛々《しゆくしゆく》と歩み続けることになる。

会社に入った後も事情は変わらない。仕事というものを、ほとんどのサラリーマンたちは、上司から「タスク」を課され、それに適切な「成果」によって応じると、上司によってその成否を「考課」されるという枠組みで考えている。たぶんそれ以外に「仕事」があるということを想像したこともないのだろう。誰からも業務命令がなく、誰も私が成し遂げた仕事を査定しないというような働き方がこの世に存在するということを想像したことがないのだろう。それほどまでに「後手に回る」という生き方が私たちには血肉化しているのである。

なぜ日本社会では、これほど念入りに「後手に回る」訓練が国民に強いられるのか？　別に難しい話ではない。上位者に頤使《いし》されることに心理的抵抗を感じない人材を組織的に育成するためである。「問いと答え」というスキームにすっぽり収まって生きていると、「問いを出す上位者」と「答えを求められる下位者」の間では非対称的な権力関係が日々再生産されているということに気づかない。でも、そうなのである。

問いを出すものが「上位者」で、答えを求められるものが「下位者」であるということは、あらゆる社会関係の前提である。それは誰だってわかっているはずのことなのである。けれども、多くの人はその事実を見落として、実に簡単に「下位者」に釘付けにされるがままになる。

記者会見で、記者からの質問に答えず、自分の方から（記者が絶対に答えを知らないようなトリビアルな）質問を向けて、記者を追い詰めることを得意としている政治家がいた（今もいる）。彼らは直感的に「質問をする者が先手を取り、正解を考える立場に追いやられた者が後手に回る」ということを知っているのである。そして、いったん後手に回ったものにはもう勝ち目がないことも。

たしかに相手をやり込めるにはうまいやり方である。だが、そんな姑息《こそく》な技術に熟達しても集団を率いることはできない。リーダーに求められているのは記者や野党議員を相手にマウントをとってみせることではない。状況の「先手を取る」ことだからである。

感染が拡大し始めてから、「さて、どうすればほめられるのか、どうすれば非難されないのか」ときょろきょろ「正解」を探す政治家はすでに「後手に回っている」。「先手を取る」人間は、アウトブレイクが起きる前に、「アウトブレイクが起きた場合に、被害を最小化するためにはどのようにすべきか」ということについて、早くから手立てを講じていたはずだからである。別にそれほど特別な才能が要るわけではない。21世紀に入ってからすでに人獣共通感染症のパンデミックは新型コロナで4回目なのである。5年に一度ペースでパンデミックが起きているのだから、十全の感染症対策をしておいた方がいいというくらいのことはふつうの思考能力のある政治家なら誰でも思いつくことである。眼を剝くほどの予算が要るわけでもない。公衆衛生を専管する部門に「最悪の事態に備えて」リスクヘッジをすることを主務とする能吏を配しておくだけでいい。彼らはきっと感染症のための医療資源を十分に確保し、専門家の育成を始め、検査や隔離のルールを作って準備しておくことが必要であると提言しただろう。その提言を政府がてきぱきと物質化しておけば、「起きなくてもいい問題」は起きなかった。

でも、そうならなかった。どうして、ふつうの思考能力があれば誰でも思いつくことがなされなかったのか？　それはわが国では「先手を取ったことの功績」はめったに可視化されないからである。「何も悪いことが起きなかった」場合に、それは誰のおかげかと考える習慣がわが国にはない。逆に、「最悪の事態」が起きてしまってから、どたばた大騒ぎした人間がしばしば顕彰される。そんな社会では「先手を取る」ことのインセンティブは働かない。

私たちの社会には、「リスクヘッジ」という言葉も、「フェイルセーフ」という言葉も、「バックアップ」という言葉も存在しない。外来語としては存在するが、日本語には存在しない。それは、私たちの社会に伝統的にそういう概念が存在しなかったからである。日本社会では、「先手を取る」ことを誰も求めないし、誰も評価しない。そもそも「先手を取る」という生き方があるということさえアナウンスされていない。だから、全員が組織的に「後手に回る」ことになる。そのことに気づかない限り、日本人はコロナ禍の最後まで「後手に回り」続けることになるだろう。

（2021年4月3日）

コロナが学校教育に問いかけたこと

感染がまだ収束していない段階で、「ポストコロナ期に社会はどう変わるか」を問うのはいささか前のめりの気もする。でも、そういう定期的に未来予測を行うことは大切なことだ。今の時点で「予兆」として見えて来たもののうちいくつかはのちに現実化し、いくつかはそのまま立ち消えになる。何かは実現し、何かは実現しない。「起きてもよいはずのこと」のうちいくつかは起こらない。なぜ「起きてもよいこと」は起こらなかったのか？　それを思量することは私たちの社会の基盤をかたちづくっている「不可視の構造」を手探りするためには有効な作業である。

歴史家は「起きたこと」については「それはなぜ起きたか」を説明してくれるが、「起きてもよかったのに起きなかったこと」については「なぜ起きなかったのか」を教えてはくれない。それを考えるのは歴史家の仕事ではないから、それでよいのである。だが、私は気になる。

今コロナ感染爆発の渦中にあって、いくつかの社会的変化の予兆が見えている。よい予兆もあるし、悪い予兆もある。ここでそれがどうなるか予測してみたい。だから、私がこれから書く文章はできたら感染の収束後、1年か2年あとに読んだ方が面白いかも知れない。

よい予兆はいくつかの制度が「弱者ベース」で設計され直され始めたということである。きっかけは大学の授業が2020年の4月からオンライン化されたことだった。

ほとんどの大学はオンライン授業の経験がなかった。だから、準備はたいへんだったと思う。少なからぬ教員は「大学の授業は対面で行うべきものだ。『師の謦咳《けいがい》に接する』ことなしに教育が成り立つのか」という深い疑念を抱いていた。それでも、なんとか4月から授業が手探りで始まった。最初はサーバーが落ちたり、音声が消えたり、テクニカルな失敗があったが、数週間でそういうトラブルはだいたい収まった。そして2ヵ月ほど経ったところで教員たちはある変化に気がついた。それは脱落する学生が少なくなったということである。

これまでだと5月の連休明けくらいで、授業についていけない、授業に興味がもてないという学生が出て来る。科目によっては履修者の30%が姿を消す。それがオンライン授業では減った。どうしてそんなことが起きたのかについて大学教員たちから興味深い話を聴いた。

これまで大学というのは「学生が主体的に学ぶ場」だとされてきた。事実はどうあれ、建前はそうだった。だから、積極的に学ぶ意志を持たない学生に、教員側が「手を差し伸べる」ということはしなかった。不登校や学業不振の学生をケアするのは「学生相談室」とか「心理相談室」の仕事であって、教員が自分のクラスの何十人、何百人かの履修者の出欠を気にすることはなかった。

ところがオンラインになると、欠席者に配布物を送ったり、来週までの課題を伝えることができるようになった。「質問があればメールでどうぞ」というメッセージを送ることができるようになった。すると、欠席者が次の週には来るようになった。それでわかったのは、彼らが授業を聴く意欲を失ったのは、教員に個体識別されていないということが一因だったのである。自分が教室にいてもいなくても、それによって何かが変わるわけではない。その存在感の希薄さ、自己評価の低さが彼らの学習意欲を殺《そ》いでいたのである。だから、教員から（オンラインであれ）固有名で名前を呼びかけられたことで、ささやかながら社会的承認を得て、少しだけ救われたのである。その結果、前期が終わった時点で、定期試験を受けたり、課題を提出したりした学生の数は前年度を上回ることになり、平均点も上がった。

オンライン授業がこんなふうに成功するとは思わなかったという驚きの声を聴いて、私はむしろこれまで私たち大学教員がどれほど学生たちに対して「無慈悲」に接してきたのか思い知ることになった。たしかに大教室の授業の場合、教員は学生を固有名で認知していないし、よほど積極的な学生でない限り、廊下で教員に声をかけたり、オフィスアワーに研究室のドアを叩いて質問に来るというようなことはしない。だから、ある程度基礎学力があり、授業にそれなりに興味もありながら、いま一つ意欲が足りないという学生はわずかなきっかけで授業に来なくなる。でも、そういう学生を授業に「呼び戻す」ための装置を大学は持っていなかったのである。

大学は学習強者ベースで制度設計されていた。コロナがそのことを前景化した。学習強者は自分の興味に従って科目を選び、研究室を訪ねて質問をし、大学が提供しているさまざまな教育資源を活用できる。もちろん、それが高等教育ということなのだから、それでよい。だが、自信のなさやわずかな気後れで、「そういうこと」がどうしてもできない学習弱者もいる。そして、そちらの方が多数派なのである。にもかかわらず、私たちは彼らのことを大学のフルメンバーとして遇してはこなかったのである。

学校には学習弱者のための学習トラックも必要だ。そのことを感染症に強制されたオンライン授業で多くの大学教員が気づいた。もちろん、これまで通り、学習強者がアカデミアを最大限に活用できる仕組みは変わらないにしても、学習弱者を呼び戻す仕組みを標準装備することに多くの大学はこれから取り組むだろう。対面授業ができず、友だちができず、クラブ活動も休止を余儀なくされて、大学教育はこの1年間で大きな痛手を負ったけれど、そこから学んだこともあった。

その一方で高校生は自殺が増えた。そうかも知れないと思う。コロナのせいで、高校生にとっての「楽しいこと」は全部なくなったからである。修学旅行も文化祭も運動会も部活もなくなった。さらに全国一斉休校の余波で、彼らはその後、詰め込み授業を強いられている。

7限まで授業をしないと学習指導要領が指定する範囲を終わらせられない。生徒たちが授業内容を理解しているかどうかよりも、決められた範囲を終わらせることの方が優先される。授業が理解できない生徒たちを個別にケアするだけの余力は疲れ切った教員たちにもない。そうやって落ちこぼれた生徒たちは教室にいる理由を見失う。それが自殺が増えたことの一因ではないかという話を高校の現場の教員から聴いた。厚労省は高校生の自殺増加の主因を「進路の悩み・学業不振」としているが、それではあまりに説明が足りない。

高校と大学で事態が逆転しているように私には見える。でも、どちらの場合も「学校に通うものにとって何が最も大切なのか?」という根源的な問いを改めて私たちに突きつけていると思う。

学校が果たすべき最も大切な仕事は、彼らをひとりひとり認知することである。そして、「君はここにいる資格がある。君がここにいることを私は求めている」と伝えることである。「自分はこの集団のフルメンバーであり、ここは自分のための場所だ」という被承認の感覚を保証すること、それが教育に携わる人間の最優先の仕事だと私は思う。

（2021年2月21日）

日本のスキー文化の晩鐘

ご縁を得て、ある時期から毎冬白馬村にスキーに行くようになった。先日2年ぶりに八方尾根を滑って、人があまりに少ないのに驚いた。コロナ以前はインバウンドのスキーヤー、ボーダーが多かったけれど、コロナで渡航が途絶えて、彼らがいなくなってしまったのである。

2年前までは講師も生徒も英語ベースというスキー学校があった。リフト待ちのときにふと気が付くと英語やフランス語を話す人たちに囲まれていたということがあった。リフトに乗り合わせた人と「どこからいらしたんですか?」「オーストラリアです」というような会話をすることもいつの間にか当たり前になっていた。それも当然だと思う。日本人のスキー人口はしだいに高齢化しつつあるし、実数も減っているからである。

バブル全盛期、若い人たちが真新しいウェアに身を包んで、文字通り「芋を洗うように」ひしめいていたゲレンデ風景のことを思うと隔世の感がある。インバウンドのビジターたちのおかげで日本のスキー場が経済的に存立できることは素直に喜びたいと思うが、それでも日本のスキー文化が消えることには一抹の寂しさを感じる。

明治末年に歩兵の雪上行動技術として紹介されてから100年を超えたスキーはヨーロッパからの輸入文化だった。私たちの世代では最初に覚えたドイツ語がスキー用語だったという人が多いと思う。「ゲレンデ」も「シュプール」も「ボーゲン」も「シーハイル」もドイツ語だった。そのせいもあって、スキーにはどこか旧制高校的なモダニティが付随していた。それは言い換えると、「大正デモクラシー的な」ということでもある。

日本近代史のある時期に「青年」たちが文化の担い手であり、彼らが（主観的には）その双肩に国運を背負っていたことがある。維新から40年後、日露戦争後にようやく帝国主義列強に伍す立場に這い上がった極東の小国では、青年たちの自己陶冶《とうや》の努力は直接に国力の向上に相関していた。少なくとも本人たちはそう信じてもいた。今とは時代が違う。自分が努力した分だけ国力が向上し、自分が怠けたらその分だけ国運が翳《かげ》る。そう信じていた青年たちがいた。大戦間期の日本はそういう青年の登場を切望していたはずである。

そんな時代には、上位者におもねり、指示があるまで自己判断では動かない「イエスマン」には用がない。国難の時代には、そんなものはいても何の役にも立たない。必要なのは、自分が何をなすべきかを誰にも命令されなくても判断でき、自分がなしたことの意味や価値について他人の査定を求めることをしない自律的な青年である。「行蔵《こうぞう》は我に存す。毀誉《きよ》は他人の主張」というのは勝海舟の言葉だが、そのような覚悟を内面化した青年が「国家須要の人材」とされた時代がかつてあった。

一高の校長で大正デモクラシーの主導者でもあった新渡戸稲造は学生たちの自治と自律を重んじた。だが、法外な自由を手にした学生たちはしばしば驕り、教師に抵抗し、ルールを破り、暴走した。彼らを律するのに新渡戸が苦肉の策として採用したのが「武士道」だった。どれほど矯激《きょうげき》な言動をなす学生たちも、新渡戸が「君たちはそれでも武士か」と一喝すると粛然と襟を正したという。

スキーはそういう時代の青年たちに選好されたスポーツだった。切り立つバーンに最初に踏み出すときの「覚悟」はあるいは武道修業や滝行や禊祓《みそぎはら》いの荒行に通じるものだったのかも知れない。ともあれ、日本のスキー文化には１９６０年代まではその残存臭気が漂っていた。それはヨーロッパ文化の雅趣と大正デモクラシーの自律と武士道的緊張の混じり合った、ほんとうに独特のものだったと思う。その日本のスキー文化もおそらくもうすぐ消える。私たちはそれを回顧できる最後の世代になった。

（２０２１年２月15日）

コロナ後の世界

この後コロナが終息しても「元の世界」に戻ることはないだろう。「コロナ以前」と「コロナ以後」では世界の政治体制や経済体制は別のものになるだろう。

政治的変化について私が危惧しているのは「民主国家よりも強権的な国家の方がパンデミック対応能力が高い」という評価が定着することである。中国は武漢の都市封鎖や「一夜城」的な病院建設というような民主国家ではまず実行できそうもない政策を遂行して、感染抑制に成功した。逆に、アメリカではトランプ大統領が秋の大統領再選という政治的な自己都合を優先させて、初動において大きく後れをとり、感染が広がり出してからも適切な措置を怠った。「選挙」というのは民主制の基本をなす活動だけれど、それを優先させたために、巨視的な対策を採れなかった。

この差はさしあたりコロナ禍が終息した後のアメリカの相対的な国威低下と中国の相対的な国威向上として帰結するだろう。パンデミックを契機に、国際社会における米中のプレゼンスが逆転することはないにしても、中国のグローバル・リーダーシップがアメリカに肉薄する可能性は十分にある。

中国はそもそも新型コロナウイルスの発生源であり、初期段階では情報隠蔽や責任回避など、非民主的体制の脆《もろ》さを露呈したが、党中央が直接現場を仕切るようになってからは一気に感染拡大を抑え込んだ。それだけではなくて、他国の医療支援に乗り出した。中国はマスクや検査キットや人工呼吸器や防護服などの医療資源の生産拠点である。どの国も喉から手が出るほど欲しがっているものを国内で潤沢に生産できるし、在庫も十分にある。このアドバンテージを利用して、北京は医療支援を外交的な手段として最大限に活用し始めた。

イタリアは20年の3月初旬に医療崩壊の危機に瀕した。ただちにEUに医療支援を要請したが、ドイツもフランスも、自国民の治療を優先して、医療資源の輸出禁止という冷淡な対応をした。その中にあって、中国だけが支援を申し出て、人工呼吸器、マスク、防護服を送った。これでイタリア国民の対中国評価は一気に上がった。

もちろん中国は博愛主義的に医療支援をしているわけではない。あくまで国益のためである。しかし、トランプ大統領が秋の大統領選までの政治的効果しか考えないで行動しているのに対し、「選挙」を配慮する必要のない習近平は5年先10年先の国益を見越して行動することができる。米中指導者のこの視野の差が今回はずいぶんとはっきり可視化されたと思う。

今回、パンデミックへの対応を通じて、中国は国際社会を支える能力も意志もあることを示し、トランプのアメリカは国際社会のリーダーシップを事実上放棄した。パンデミックはこれから後も、場合によっては1年以上続くかも知れない。アメリカが早い段階にどこかで軌道修正をして、「アメリカ・ファースト」の旗を降ろして、グローバル・リーダーシップを回復しないと、中国の国際社会におけるプレゼンスはますます大きなものになるだろう。

今後、コロナ禍が終息して、この歴史的出来事を総括する段階になったときにおそらく「米中の明暗を分けたのは何か」という問いに「民主制は独裁制よりも危機対応能力が低かった」という答えが導かれることを私は深く懸念している。

たしかにその指摘は部分的には当たっている。中国では、血みどろの党内闘争に勝ち残った人間しかトップになることができない。中国では、無能な人間が14億の国民の指導者になる可能性はほとんどない。それに対して、アメリカの有権者は必ずしも有能な統治者を求めていない。アレクシス・ド・トクヴィルが看破した通り、アメリカの有権者は自分たちと知性・徳性において同程度の人間に親しみを感じる傾向がある。だから、トランプのような知性にも徳性にも著しく欠けた人間が大統領に選ばれるリスクがある。トクヴィルの訪米時のアメリカ大統領アンドリュー・ジャクソンはインディアンの虐殺以外に見るべき功績のない凡庸な軍人だったが、アメリカの有権者は彼を二度にわたって大統領に選んだ。同じことが中国で起きていたら致命的なことになっていただろうけれども、アメリカではそうならなかった。それは連邦制と三権分立が機能しているからである。アメリカでは、無能な人物が大統領に選ばれていても統治機構に致命的な傷を与えることができないように制度設計がなされている。建国の父たちはデモクラシーの社会では「無能な人物が指導者に選ばれるリスクが高い」ことを見通しており、そのリスクを抑制するための制度を準備していたのである。トクヴィルはその炯眼《けいがん》に敬意を表している。

だが、トランプのアメリカは明らかに習近平の中国よりも感染症対策で大きく後れをとった。パンデミックについては、アメリカン・デモクラシーよりも中国独裁制の方が成功しているように人の眼には見えるだろう。だから、欧州や日本でも、遠からずこれを奇貨として「緊急事態に際してはトップに全権を委任して、民主制を制限すべきだ」と言い出す人が出てくるはずである。日本の場合は、すでに自民党が2012年の改憲草案の「緊急事態条項」で行政府への権限集中を訴えているが、改憲派の人々は必ずや今回の災禍を改憲に結びつけて、私権の制限を声高に訴えるはずである。

中国は国民監視システムにおいてすでに世界一の技術力を有している。顔認証、声紋、虹《こう》彩《さい》などあらゆる属性を利用した網羅的な国民監視システムを開発して、それをアフリカやシンガポールや中南米の独裁国家に輸出している。国民監視のノウハウはすでに中国の重要な輸出品なのである。反政府的な言動をなす者が一望的にリスト化され、監視下におかれるシステムを羨ましく思う人々は日本の現政権内部にも少なからず存在するだろう。まさか中国型の国民監視システムの「輸入」にまでは踏み込まなくても、似たようなシステムを自前で調達しろと下僚を叱咤《しった》するくらいのことはするだろう。

このような国際状況の中における日本のポジションはどうなのか。第一に確認しておくべきことは、日本はパンデミックの対応に失敗したということである。それがどれくらいの規模の失敗であるかは、最終的な感染者数・死者数が確定するまでは言えないが、もう少しもののわかった人たちが感染症対策の政策決定に関与していれば、感染者数・死者数は今の数値よりもはるかに少なく済んだはずである。

東アジアでは、同時に中国、台湾、韓国、日本の4か国がコロナ問題に取り組んだ。中国はほぼ感染を抑え込んだ。台湾と韓国も初動は鮮やかだった。その中で、日本は新型コロナウイルスのアウトブレイクを知りながら、その情報を精査して適切な対応策を講じるための時間的余裕があったにもかかわらず、検査体制も治療体制もろくに整備せず、無為のうちに貴重な時間を空費した。

感染症対策としてやるべきことはそれほど複雑ではない。他国の成功例を模倣すること、他国の失敗例を回避すること、これだけである。中国やヨーロッパでの感染拡大から、日本での国内感染の広がりまでかなりのタイムラグがあった。その時間的余裕を最大限に活用して、各国での前例から情報収集する十分な時間的余裕があった。しかし、日本政府はそれを怠った。これは致命的な失策だったと思う。

十分な感染症対策を講じなかった第一の理由は、もちろん東京五輪を予定通り開催することに安倍政権が固執していたからである。2020年7月開催を可能にするためには、「日本では感染は広がっていない。防疫体制も完璧で、すべてはコントロール下にある」と言い続ける必要があった。だから、検査体制の拡充を怠り、医療資源の確保も病床の増設にも消極的だった。「最悪の事態に備えている」姿を見せると、国際社会から「最悪の事態を予期している」と解釈される可能性がある。だから、その懸念を払拭するために、「何もしないこと」によって、最悪の事態は決して起こらないと保証してみせたのである。

最悪の事態を想定して、それに備えていると最悪の事態を呼び込んでしまう。それよりはすべてがうまく行って、悪いことは何も起こらないと自分に言い聞かせておく方がいい。「味方の作戦はすべて成功し、敵軍の作戦はすべて失敗すれば、皇軍大勝利」というのは大日本帝国戦争指導部が偏愛した思考パターンだが、現代日本人でも事情はあまり変わっていない。その気持ちはわからないでもない。だが、そのような「呪術的な思考」をする人間は近代国家において政策決定にかかわるべきではない。

隣国の先行事例から学習することを拒否した一つの理由は、安倍政権がすぐれてイデオロギー的な政権だったからである。この政権では、政策の適否よりもイデオロギーへの忠誠心の方が優先的に配慮される。だから、たとえそれが有効であることがわかっていても、中国や韓国や台湾の成功例は模倣しない。野党も次々と対案を出したが、それも採用しない。政府がそれらの対案の採用を拒否したのは、内容を非としたからではない。ふだん敵視し、見下している者たちからの提案は、その内容の適否にかかわらず、決して採択しないというのが安倍政権の基本姿勢だからである。

この政権においては、つねに主観的願望が客観的情勢判断に取って代わった。「そうであって欲しい」という祈願が自動的に「そうである」という事実として物質化する。おそらく首相個人においてはそれが日常的事実だったのだと思う。森友・加計・桜を見る会……どの事案でも、首相が「そんなものはない」と宣告した公文書はいつのまにか消滅し、首相が「知らない」と誓言したことについては関係者全員が記憶を失う。たぶん彼はその全能感に慣れ切ってしまったのだと思う。だからいつものように「感染は拡大しない。すぐに終息する」と自分が言いさえすれば、それがそのまま現実化すると信じていたのだと思う。

願望がそのまま現実となるのだから、この政権に「リスクヘッジ」という考え方がないのは当然である。リスクヘッジというのは「丁と半の両方の目に張る」ということである。丁半両方に張るのだから、半分は無駄になる。

感染症対策では、幸いにも感染が拡大しなかった場合には、「準備したけれど、使わなかった資源」という無駄が出る。「準備したが使用しなかった資源」のことを経済学では「スラック（余裕、遊び）」と呼ぶ。「在庫ゼロ」を経営の理想だと考えるようなＣＥＯはこの世に「スラック」という言葉があることさえ知らないだろう。だが、「スラック」を用意しておくことは危機管理の基本中の基本である。

東京五輪の場合、リスクヘッジとは「予定通りに五輪を開催する準備」と「五輪を中止しなければならないほどに深刻な感染症拡大への準備」の二つを同時並行的に行うことである。

7月になればいやでも開催か中止が決まる。その時に「五輪準備のために費やした資源」か「破局的な感染拡大に備えて費やした資源」か、そのいずれかが無駄になる。でも、それがあれば、状況がどちらに転んでも政府は対応できた。私はもともと五輪開催に反対だけれど、政府や組織委や東京都が「ぜひ開催したい」と思って、最大限のリスクヘッジを行ったのであれば、その努力を多とする。しかし、安倍政権はリスクヘッジをしなかった。「五輪開催」の一点張りに賭け、誰もそれを止めなかった。それは今の日本の指導層に「リスクヘッジ」という概念をまともに理解している人間がいないということを意味している。おそらく「選択と集中」とか「ジャストインタイム」だとか「在庫ゼロ」だとかいうことばかり言い募ってきたせいで、「危機に備えるためにはスラックが要る」ということを理解できる人間がいなくなったのであろう。

感染症対策は構造的に「スラック」なしには存立しない。感染症専用病棟や、感染症専用の医療資源は、アウトブレイクが起きない限り使い道がない。だから、「医療資源の効率的な活用」や「病床稼働率の向上」を医療の最優先課題だと信じている病院経営者は、感染症関連の医療資源の備蓄に関心がない。彼らは「必要なものは、必要なときに、必要な量だけ市場で購入すればいい」と信じている。しかし、パンデミックによる医療崩壊というのは「必要なものが、必要なときに、必要な量だけ、市場で調達できない」から起きるのである。そういう「賢い経営者」たちは何年かに一度パンデミックが起きて、ばたばた人が死ぬのを見て、「どうして備えがないんだ?」とびっくりするのである。

日本政府のコロナ対応の失敗はもう起きてしまったことなので、今さら取り返しがつかない。われわれにこれから出来るのは、その失敗をどう総括し、どう補正するかということである。本来なら「愚かな人物を為政者に選んだせいで失敗した。これからはもっと賢い人を選ぼう」で済む話だが、そう簡単にはゆかない。

というのは、コロナ終息後に、自民党は「現行憲法のせいで必要な施策がすみやかに実行できなかった」と総括するからである。これは必ずそうなる。「コロナ対応に失敗したのは、国民の基本的人権に配慮し過ぎたせいだ」と言って、自分たちの失敗の責任を憲法の瑕疵に転嫁しようとする。右派論壇からは、「改憲して非常事態条項を新設せよ」とか「教育制度を改めて滅私奉公の愛国精神を涵養せよ」とか言い出す連中が湧いて出て来る。「改憲」によって行政府の権限強化と私権制限を果たすことが喫緊の政治的課題であるという反動的な言説とどう立ち向かうか、それがコロナ後の最優先の政治的課題だと私は思っている。


コロナ後の経済的課題は、中産階級の再興である。コロナ禍によってこれまで続いてきた「中間層の没落」が決定づけられた。民主主義の土台になるのは「分厚い中産階級」である。しかし、新自由主義的な経済政策によって、世界的に階層の二極化が進み、中産階級は痩せ細っている。消費の冷え込みで、基礎体力のある大企業は何とか生き残れても、中小企業や自営業の多くは経営危機に見舞われる。ささやかながら自立した資本家であった市民たちが、労働以外に売るものを持たない無産階級に没落する。資本主義前期に見られた「囲い込み」と同じことが起きる。このまま中産階級の没落を座視していれば、日本社会は遠からず「一握りの富裕層」と「圧倒的多数の貧困層」に二極化するだろう。それは亡国のシナリオである。そのような事態の到来を食い止めようと思うならば、政策的に中産階級を手厚く保護するしかない。

野党はどこも「厚みのある中産階級を形成して、民主主義を守る」という政治課題については共通しているはずである。だから、次の選挙では、「中産階級の再興と民主制」をめざすのか「階層の二極化と独裁」をめざすのか、その選択の選挙だということをはっきりと可視化する必要がある。

このあと、今のままのペースで階層二極化が進行すれば、日本はさらに後進国化する。ネポティズムがはびこり、目減りしてきた国民資源を少数の支配階層が独占し、私物化するというこれまで開発独裁国や後進国でしか見られなかったような風景が日本社会でも日常的なものになるだろう。独裁者とその一族が権力と国富を独占し、そのおこぼれに与《あずか》ろうとする人々がそのまわりに群がる。そういう近代以前への退行が日本ではすでに始まっている。

たしかに短期的なスパンで見れば、中国のような独裁国家のほうが効率的に運営されているように見える。民主制は合意形成に時間がかかるし、作業効率が悪い。しかし、長期的には民主的な国家のほうが復元力があることは間違いない。

それは、民主制は、市民の一定数が「成熟した市民」「大人」でいなければ機能しないシステムだからである。少なくとも市民の7％くらい（この数字は経験的なもので、割と適当である）が「大人」でないと、民主制は回らない。

一定数の「大人」がいないと動かないという民主制の脆弱性は、裏から見ると民主制の遂行的な強みとなる。民主制は市民たちに成熟を促す。「大人になってくれ」と市民たちの袖をつかんで懇請する。そのような仕組みは民主制以外には見出し難い。

帝政や王政や貴族政は、別に国民に市民的成熟など求めない。権力者さえ賢ければ、残りの国民はどれほど愚鈍でも未熟でも構わない。むしろ独裁制では集団成員が「子ども」である方がうまく機能する。だから、強権的な政体や独裁制では、為政者たちは成員たちの市民的成熟を願わない。できるだけ「何も考えない」ように仕向ける。ものごとを根源的に考えたり、因習的な仕方とは違う視座からものを見ることを禁じる。幼児化・愚民化政策は独裁制の必然である。

たしかにそれによって国民は統御し易くなるであろう。けれども、その結果として、国民たちは自分でものを考える力を失う。いくら、一握りの賢者が統治していても、そのような国は遠からず国力が衰微し、国運が尽きる。

なぜ独裁制は持たないのか。それは独裁制は変化を拒むからである。独裁制は「無謬の神話」の上に成立している。だから、どんな不具合があっても、システムを修正する、改善するということが起きない。「修正する」ということは修正する前には瑕疵があったと認めることであり、「改善する」ということは改善する前には欠陥があったと認めるということである。それは無謬の神話に背馳《はいち》する。

それゆえ、独裁制においてはすべてのシステム上の不具合は個人的悪意に帰される。システムは完璧に設計されていたのであるが、「裏切者」「非国民」「第五列」がシステムに潜り込んで、意図的にシステムを壊乱させたので、このような災禍が起きた……という話になる。だから、その「ワルモノ」を探し出して、粛清すれば一件落着となる。

しかし、属人的な原因に帰している限り、システムそのものの設計ミスや制度疲労は検出できない。不出来なシステムを「完璧」だと言って運転し続ければ、やがて破滅的な事態に至る。

かなり出来のよいシステムだった場合でも、環境は必ず変化する。統治機構もまた一種の生き物である。環境の変化に適応して変化しなければ生き延びることはできない。「環境への適応」と口で言うのは易しいが、それは独裁者が一人で網羅的に指令書を書いて果たせることではない。というのは、「環境の変化」というのは、思いもかけないところから、思いもかけない様態で、同時多発的に起きるものだからである。だから、それに対する適応もまた、同時多発的に、自生的に、非中枢的に行われねばならない。トップの指示に従って、上意下達的な仕方で「環境に適応する」ということは原理的にできないのである。

環境の変化に対応できるのは、すべてのアクターが、自己裁量で、遅滞なく、全体にとって好ましいオプションを選択できるシステムだけである。個別的なふるまいの総和が「期せずして」生き残りのための最適解を選んでいたというシステムだけが環境の変化を生き延びられる。

だから、独裁制は短期的にはたいへんうまくゆくことがあるが、長期的に見た場合に、歴史的な変化や地政学的な変化に対応して、そのつど変身を繰り返すということができない。原理的にできないのである。

その点で民主制にアドバンテージがある。民主制は生き延びるために成員に「大人になること」を求めるからである。民主制は、国民たちに対して、「個人の努力と国運の間には強い相関がある」と信じることを求める。国が「まとも」であるためには、国民が個人として「まとも」でなければならないと思うこと、国に「品位がある」ためには、国民が個人として「品位ある」ふるまいをしなければならないと思うこと、国が「英雄的」であるためには、国民が個人として「英雄的」でなければならないと思うこと、それを民主制は国民に求める。民主制は国民に対してまことに「注文が多い」システムなのである。

もちろん、国民全員にそんなきびしい要求はできない。一握りでよい。一握りでよいから、そういう人がシステムの要路にいる必要がある。なぜなら、そういう人たちは、自分の生き方と国のあり方の間に強い相関を感じているので、危機的状況に際会したときに、国益を最大化するためにはどうすればいいかを自分に問いかけて、答えを得ることができるからである。法律を読んだり、誰かに訊いたりしなくても、「公共の福祉」とは何かがわかる。自己判断で集団にとっての最適解がわかる。それが「公民」と呼ばれる人たちであり、それを私は先ほどから「大人」と呼んでいるのである。マルクスだったら「類的存在」と言うところだけれど、話がややこしくなるので、そこまで話を広げない。「大人」で十分である。

そういう「大人」たちを体制の要路に配しておけば、破局的事態を迎えても対処できる、復元力の強い、臨機応変の国ができる。だから、民主制を守り、育てるためにやることは一つしかない。「大人」を育てることである。民主制は、システムとしてはもう出来上がっている。でも、うまく機能していない。それは「大人」の頭数が足りないからである。だから、「大人」を育てること、それが喫緊の国家的課題となるのである。

アルベール・カミュの『ペスト』では、猛威を振るうペストに対して、市民たち有志が保健隊を組織する。これはナチズムに抵抗したレジスタンスの比喩とされている。今、私たちは新型コロナウイルスという「ペスト」に対抗しながら、同時に独裁化という「ペスト」にも対抗しなければならない。その意味で、『ペスト』は現在日本の危機的状況を寓話的に描いたものとして読むこともできる。

『ペスト』の中には下級役人のグランという印象的な登場人物が出て来る。昼間は役所で働いて、夜は趣味で小説を書いている、英雄的なところのまったくない人物であるけれど、医師リューと友人のタルーが保健隊を結成したときにグランはまっさきに志願する。彼は役所仕事と執筆活動の合間に献身的に保健隊の活動を担い、ペストが終息すると、またなにごともなかったように元の平凡な生活に戻る。

おそらくグランは、カミュが実際のレジスタンス活動の中で出会った活動家たちの相貌を素材に造形された人物なのだと思う。特に英雄的なことをしようと思ったわけではなく、歴史に名前を刻もうというような野心を持つこともなく、ただ、市民の義務として、ひとつ間違えば命を落とすかも知れない危険な仕事を引き受けた。「何ごとでもないように」命がけのミッションを引き受け、また「何ごともなかったように」私生活に戻ってゆく。おそらくそれがカミュにとっての理想的な市民のありようだった。

私はグランのような人が民主制社会における「大人」のモデルだと思う。ヒロイズムは要らない。使命感も要らない。肩肘張らずに「市民」としての義務を果たし、務めが済んださっさと「市井の人」として暮らす人、それが「大人」である。
「コロナ以後」の日本で民主主義を守るための急務は「大人」の頭数を増やすことである。

繰り返し言うように、何も国民全員が「大人」になる必要はない。「私は子どもでいたい」という人はそのまま子どもでいてくれて構わない。でも、せめて7%、35人のクラスならそのうち3人くらいが、道に落ちている空き缶を拾うとか、おばあさんの荷物を持ってあげるとか、赤ちゃんを抱いている女の人に電車の席を譲るとかいうことを「肩肘張らずに」できるようであって欲しいと思う。それくらいの頭数がいれば、民主制はもうしばらくは大丈夫である。そのパーセンテージを切ったら、もう先はない。

（2020年4月22日）

Ⅱ　ゆらぐ国際社会

トランプとミリシア

ミネアポリスから始まった人種差別と警察暴力への抗議運動Black Lives Matter（「黒人の命を軽んじるな」）は全米に広がり、収束への道筋が見えない。震源地であったミネアポリスではついに警察が解体されて、新たな組織が再建されることになった。それほどまでに市民の警察暴力に対する怒りと不信は根深い。

本来なら治安回復の責任を負うべきトランプ大統領が騒乱の火に油を注いだ。抗議者たちに対話的な姿勢を示すどころか、デモの背後にはテロ組織があるという不確かな情報をＳＮＳで発信して、ＦＢＩから「そんな事実はない」と否定され、さらにデモ隊鎮圧のために連邦軍の投入も辞さずという強硬姿勢を示したことについては、米軍の元高官たちが次々と異議を申し立てた。

マティス前国防長官は大統領を「私が知る限り、国民を統合するより分断しようとする最初の大統領だ」と批判し、パウエル元国務長官も「大統領は憲法を逸脱している」として、秋の大統領選では民主党候補に投票する意思を示した。

日本では自衛隊の元高官が現職総理大臣の政治姿勢や憲法違反を批判するということはま

ず起こらない。たぶん日本人の多くは世界中どこでもそうだと思っているだろう。でも、現に同盟国のアメリカでは「日本では起こり得ないこと」が起きている。なぜ、そんなことがアメリカでは起きるのか。

それはアメリカの陸軍が憲法上の規定では常備軍ではなく、市民によって編制された義勇軍だとされているからである。建国の父たちが憲法に書き込んだその規定は今も生きている。

合衆国憲法8条12項は連邦議会に「陸軍を召集（raise）し維持する（support）」権限を付与しているが、その後に重大な但し書きを付している。「この目的のための歳出の承認は2年を超える期間にわたってはならない。」つまり、米陸軍は必要がある度に召集されるものであって、常備軍ではない。そう合衆国憲法は定めているのである（海軍について歳出の期限が定められていないのは、おそらく長期にわたる集中的な訓練をしないと帆船が動かせないという技術的な事情があったからだろう）。

独立戦争のとき、英国軍は国王の命令一下ためらわず同胞である植民地人民に銃を向けた。その悔しさと痛みを建国の父たちは骨身にしみて知っていた。だから、合衆国連邦軍については「決して市民には銃を向けない」ということを第一原理としたのである。

それを実現するためには、職業軍人たちに「何があっても市民に銃を向けない」と誓言させるよりも、「武装した市民を以て連邦軍を編制する」ことの方が確実だった。だから、それ以後100年以上にわたって、陸軍は必要があれば、そのつど召集に応じる武装市民

(militia) によって編制されてきた。

ミリシアがどういうものかを知る印象的な例を一つ挙げる。南北戦争の頃、ドイツからの移民にヨーゼフ・ヴァイデマイヤー(Joseph Weydemeyer,1818-66)という人がいた。彼は「新ライン新聞」以来のマルクスとエンゲルスの同志で、アメリカ最初のマルクス主義組織アメリカ労働者同盟の創立者だった。彼はリンカーンの奴隷解放の大義に賛同し、ドイツ移民たちを糾合して義勇軍を組織し、北軍大佐としてセントルイス攻防戦を指揮した。戦争が終わると再び政治活動に戻り、ロンドンの第一インターナショナルと連携して、アメリカにおける労働運動の組織化に努めた。

ヴァイデマイヤーに見られるような「自立した市民が、市民としての義務を果たすために戦う」というありようはたぶん日本人にはうまく理解できないと思う。それはミリシアのようなものが日本に存在しないからである。

もちろん今の米軍は誰が見ても常備軍である。いつの間にか、そのようなものに変質したのである。けれども建国の父たちが憲法に託した倫理的な「しばり」はまだ生きている。だから、軍人たちは自分たちが「武装した市民」であって、「権力者の私兵」ではないということを時々思い出すことができるのである。


(2020年7月5日)

アメリカ大統領選を総括する

当選確定後、バイデンは自分に投票しなかったトランプ支持者にも等しく配慮すると約束した。トランプに投票した有権者は7380万人。浮動票を除いてもトランプのコアな支持者が今もアメリカ国内には数千万人いる。バイデンは彼らの立場や要求にも配慮しながら統治を進めなければいけない。困難な仕事になると思う。

それは「アメリカ社会はどのようなものであるべきか」について、その「アイディア」によって現在の国民的分断がもたらされているからである。私はそれを「自由」と「平等」のどちらをアメリカの本質的な理念に掲げるか、その選択の違いによるものではないかと考えている。それについて少し説明したい。

まず確認したいのは、そもそもアメリカの建国理念が最も重んじたのは市民の自由であって、市民の平等ではなかったということである。

独立宣言には「すべての人間は平等に創造され、創造主によって生命、自由、幸福追求の権利など奪うことのできない権利を付与されている」と書かれている。よく読むとわかるが、平等であることは自然権には含まれていない。つまり、合衆国政府は「生命、自由、幸福追求の権利」については国民にこれを保障しなければならないけれども、平等の実現は必ずしも政府の仕事にはカウントされていないということである。

だから、1787年制定の合衆国憲法にも、その修正条項（いわゆる「権利章典」）にも、「自由を保障する」ことは繰り返し確認されているが、「平等を達成すべし」という文言はどこにもない。自由の獲得は「人間の仕事」であるが、平等の達成は「神の仕事」だと考えられていたからである。

人間たちは創造主によってすべて平等に創造された。独立宣言にはそう明記されている。だとすれば、それから後、ひとりひとりが自由に生き、それぞれに創意工夫を凝らして、競争し、その結果として社会的格差が生じたのだとしたら、人間にはそれを「是正」しなければならない理由はどこにもない。

アメリカ社会において、「社会的なフェアネス」とは、あくまで個人の市民的自由の行使を妨げないことであって、全体の平等を実現することではない。

統治の根本理念でありながら、アメリカにおいて、自由と平等では優先順位が違う。そのことを踏まえておかないと、アメリカで今起きている国民的分断の理由は理解できないだろう。というのは、アメリカにおける国民的分断はつねに「自由」と「平等」のどちらを統治原理として優先させるかという対立図式の中で繰り返されてきたからである。

独立宣言が発布されてから奴隷解放宣言まで80年以上を要した。公民権法の制定まではさらに１００年を要した。それでも人種差別はなくなっていない。今もＢＬＭ運動が平等の実現を訴えている。建国以来２５０年近くが経っても、市民的平等はアメリカではいまだ実現していない。それは平等の実現はアメリカ建国の目標ではないと考える市民が今も多数存在するということを意味している。

平等の実現は、公権力が富裕層や特権階級の人々の懐に手を突っ込んで、その財産や権力の一部を取り上げて、それを貧者・弱者に再分配するというかたちでしか実現しない。自由を最優先する人たちにはこれが許せないのである。自助努力を通じて獲得した資産や権力を、何が哀しくて、努力もせず、才能もない人間たちと分かち合わなければならないのか。それは建国理念がめざしている市民的自由の侵害である。

アメリカでは、平等の実現に反対する市民たちは、自由の名においてそう訴える。これは日本を含めて、それ以外の国ではまず見ることのできない風景である。

アメリカに公教育が導入されたときも、フランクリン・ルーズヴェルト大統領の「ニューディール」政策が実施されたときも、オバマ大統領のオバマケアが制定されたときも、つねに「それは社会主義だ」「非アメリカ的だ」というはげしい批判がなされた。公権力が強権的に平等を実現することは間違っていると確信している人たちがアメリカにはそれだけいるということである。

それでも、今回のパンデミックで、アメリカ市民たちは、感染症を抑制しようと望むなら全国民が等しく良質な医療を受けられる体制を整備する以外に手立てがないということは理屈ではわかったはずである。だが、理屈ではわかっても、なかなか身体は受け付けない。

アメリカでは久しく「医療は商品」だと考えられていた。金のある者は良質な医療が受けられる。金のないものは受けられない。それが当然だと多くの人々は信じてきた。

医療が不動産や自動車や宝石と同じような「高額の商品」であるなら、その考えは間違っていない。商品を見て、これが欲しいと思った人間が、「手持ちの金が足りないので、差額を税金で補填してくれ」と言い出したら、誰でも怒り出すだろう。欲しいものがあれば、自分の金で買え、と。

医療も同じように考えられている。「医療を受けて、病気を癒した場合、それは自己利益を増大させたことになる。ならば、受益者負担のルールに従って、医療が受けたければ身銭を切るべきだ。他人の金を当てにしてはならない」という理屈になる。

たしかに、一般の疾病だったら、その理屈で通せるかも知れない。だが、感染症は違う。今回、新型コロナウイルスに感染して入院した患者に、退院後1000万円が請求されたというようなニュースがあった。アメリカで長く医療に携わってきた友人たちに訊くと、そんなのは日常茶飯のことだそうである。アメリカには今2750万人の無保険者がいる。彼らはたとえコロナに感染した疑いがあっても、怖くて診療を受けられない。だから、感染しても、隔離もされず、治療もされずに放置される。医療を高額な商品として扱う限り、そのグループがいつまでも感染源としてアメリカ社会にとどまり続ける。

誰でもが経済的な不安なしに診療を受けられる体制を整備しない限り、感染は永遠に終わらない。アメリカが世界最高の医療テクノロジーを持ちながら、感染者数、死者数とも世界最多であるのはその理屈が通らないからである。

もちろん、ビル・ゲイツのように公共の福祉のために私財を寄付するという人はいる。けれども、それはあくまでビル・ゲイツ個人の自由意思に基づく行為であって、彼が富裕層に向かって「君たちも寄付しなさい」と命じる権利はない。再分配は公権力によってではなく、私人の慈善によってなされるべきである。それがアメリカの多くの人にとっての常識である。たしかに、財団とか教会とかが行う慈善活動のスケールは桁外れの規模のものだけれど、それでも、平等の実現のために身銭を切るという仕事はあくまで私事とみなされているのである。

トランプがあれほど支持された理由の一つは彼がまさに「アメリカン・ドリームの体現者」であるかのように自己演出して、それに成功したせいである。それが人々を惹きつけた。そして、アメリカン・ドリームというのは自由競争で勝者になったということであり、敗者を配慮して社会的平等を実現しようというアイディアとは水と油のように相性が悪いのである。

あまり知られていないことだが、アメリカは19世紀末まで、世界の社会主義運動の中心地であった。そもそもは1848年のヨーロッパ各国での市民革命に失敗した自由主義者や社会主義者たちが官憲の弾圧を逃れて、アメリカやオーストラリアに移民したことから始まる。彼らは「48年世代（forty-eighters）」と呼ばれた。他の移民と違って、多くが高学歴で、専門的職能を持っていた。だから、移民した先でも率先してコミュニティを創り上げ、事業を興し、成功した。もともとリベラルな人権派の人たちであるから、リンカーンの奴隷解放政策を熱烈に支持し、南北戦争が始まるとその多くは義勇軍として北軍に身を投じて戦った。

カール・マルクスがニューヨークのドイツ語誌『革命』のために『ルイ・ボナパルトのブリュメール18日』を書いたのは、1852年のことである。同じ年に「ニューヨーク・トリビューン（New York Tribune）」のオーナーのホレース・グリーリー（Horace Greeley,1811–72）はロンドンのマルクスに「ロンドン特派員」のポストをオファーした。生活に困窮していたマルクスはこのオファーを受け入れ、以後10年間にわたって400本以上の記事を書き送った。うちいくつかは無署名で「トリビューン」の社説として掲載された。

「トリビューン」はニューヨークの人口が70万人だった当時に発行部数20万部を誇る超メジャーなメディアだった。「トリビューン」を通じて、ニューヨークの知的読者たちは南北戦争前の10年間、10日に一本ペースでマルクスの書く世界の政治経済についての分析記事を読み続けたのである。マルクスはイギリスのインド支配、アヘン戦争、アメリカの奴隷制などについて健筆を揮った。南北戦争前の北部の政治的意見の形成にマルクスは直接かかわっていたのである。

アメリカで最初のマルクス主義政治組織「アメリカ労働者同盟」（Amerikanisches Arbeiter-bund）が創建されたのは１８５３年。72年には第一インターナショナルの本部がロンドンからニューヨークに移転する。つまり、南北戦争をはさんだ30年間は、アメリカは言論の面でも、組織や運動の面でも、世界の社会主義のセンターだったのである。

もちろん、社会主義者たちの最優先の政治課題は平等の実現である。階級格差、人種差別、性差別の廃絶。それが彼らの掲げたスローガンである。

19世紀末のアメリカが社会主義的な政策を採用して、世界で最も早く社会的平等が実現する可能性はあった。しかし、そうならなかった。１８７０年代にぴたりと労働運動・市民運動の思想的・組織的進化が止まってしまう。それは「アメリカン・ドリーム」のせいである。

少し時代を遡るけれど、南北戦争中の１８６２年に、リンカーンによってホームステッド法が制定された。国有地に5年間定住して、農業を営んだ者には１６０エーカーの土地が無償で与えられるという法律である。これを知って、ヨーロッパで小作農や賃金労働者だった人たちが自営農になるチャンスをめざしてアメリカに殺到した。これによってアメリカは大量の移民労働者を獲得し、短期的な西部開拓が可能になったのである。

「48年世代」だけではなく、１８４８年に始まるカリフォルニア・ゴールドラッシュ以来多くの人々が「一山当てる」ことをめざしてアメリカに来て、西へ向かった。１９０１年にはスピンドルトップで石油が噴き出した。アメリカの大地には無尽蔵の自然資源が埋蔵されているように見えた。チャンスに恵まれれば、極貧の労働者が一夜にして富豪になるということが実際に起きたのである。この時代をマーク・トウェインは「金ぴか時代」(the Gilded Age)と呼んだ。「鉄道王」とか「石油王」とか「鉄鋼王」とか「新聞王」とかが相次いで登場したのはこの頃のことである。昨日まで自分の隣で寝起きしていた貧しい労働者が、おのれの才覚と幸運だけで「王」のような御殿に暮らして、贅沢の限りを尽くす。そういう実例が次々と出てきた。その様子はマーク・トウェインの『西部放浪記』に活写されている。

そうなると、「鉄鎖の他に失うべきものを持たないプロレタリア」を組織して、資本家と団体交渉して雇用条件を引き上げようというような戦い方が「ちまちましたもの」に思えてくる。特に、おのれの才覚に恃《たの》むところのある活動的な労働者が労働運動よりはむしろアメリカン・ドリームに惹きつけられるのは当然である。19世紀後半の「金ぴか時代」に、貧しい労働者が一攫千金の社会的上昇を果たすチャンスが拡大したせいで、労働者階級の全体についての権利拡大の機運はむしろ勢いを失ったのである。

その後も、資本主義の進展にともなって、労働運動は激化し、組合組織率も高まるのだが、１８７０年代以降のアメリカの労働運動には残念ながら思想的には見るべきものがなく、歴史に名を刻むほどの指導者も見当たらなかった。アメリカン・ドリームはアメリカ型社会主義の進化を阻止することに一役買ったのである。

だから、アメリカン・ドリームの体現者であるように自己演出しているトランプと、ヨーロッパ的な社会民主主義を体現するバーニー・サンダースが不倶戴天《ふぐたいてん》の敵《かたき》同士として登場してきたということは、「金ぴか時代」のドラマを再演しているという意味ではまことに興味深い光景なのである。

マルクスは『ブリュメール18日』で、人間たちはまったく新しいことをしているつもりでいるときに「過去の亡霊」を呼び出し、過去の「スローガンや衣装を借用」すると書いている。まさしく、マルクスの言う通り、２０２０年のアメリカ人たちもまた、遠い昔に誰かが使った台詞を繰り返し、埃を払って古い衣装に手を通しているのである。

（２０２０年12月30日）

コロナ後のシフトチェンジ

ポストコロナ期はどんな社会制度を採用すればよいのか。私見によれば、最優先されるのは、エネルギー、食糧、医療、教育を「自前で調達できる」国づくりである。

エネルギーも食糧も、自前で調達するには困難が多い。けれども、死活的に重要なものの供給がいつ、どういう理由で停止するかわからないということは今回のパンデミックで身に染みて学習したはずである。

アメリカはただちに必須医薬品・医療器具を国産化するよう切り替えた。製造コストは中国から買うよりはるかに高いけれども、「医療安全保障」のコストと考えれば、当然の出費である。

日本もアメリカに倣って、「戦略的に不可欠なものは自前で調達できる国」を目標とすべきである。得意な金儲け領域に全資源を「集中」して、必要なものは海外から買えばいいという楽観論がどれほど根拠の危ういものかはもう十分にわかったはずだ。

まずエネルギーと食糧、そして医療、教育である。世界水準の教育を自前で行うことのできる体制を日本人はだいぶ前に諦めた。そして、エリート育成は欧米の一流校に任せて、国内の大学はその「帰朝エリート」たちに頤使《いし》される「二級市民」の育成をすればよいと平然と言い放つ人さえいた。金さえあれば世界のどこでも好きな教育が受けられると信じていたのだ。愚かなことである。

明治の日本人たちがどのような思いで高等教育を整備したのか、その思いを忘れたのだろうか。祖国の次世代を担う若者は自分たちの手で育てる。世界最先端の学問的知見を「母語」で講ずることができる教育機関を立ち上げる。その気概を持たない国民には「先進国」を名乗る資格はない。

国を維持するために必要なものは、原則として自給自足できるようにすること。それがことに困難な課題であることはわかっているが、理想としてはそれを目指すべきだと私は思う。

「欲しいものは金を出せば買える」と思い込んでいるうちに、エネルギーも食糧も自給率が下がり、学術的発信力も下がった。かろうじて生身の身体を相手にする医療だけは「アウトソーシング」できなかったおかげで、世界的水準を維持できた。

海外から買い付けなくても、海外にアウトソーシングしなくても「必要なものが調達できる」体制づくりはグローバル資本主義からすれば禁忌に類する。しかし、「国が生き延びる」ためにどうするかという話をしているときに、「それでは金が儲からない」と言われても困る。話の水準が違う。

これからはクロスボーダーで人、物、資本、情報が自由に飛び交う時代ではない。とりあえずしばらくは「人」が国境を越えられない。その環境に適応した解を探るしかない。

経済学者の水野和夫さんは「定常経済」を提案している。もう右肩上がりを諦めて、買い替え需要だけで経済を回すのである。株式会社の出資者はその企業の提供する商品サービスが享受できることを「配当」と見なす。株を買うのは投機目的ではなく、企業の存続を願ってのことである。現に、最近になってそのタイプのビジネスモデルが次々と成功している。

Choose Life Projectというネットメディアがある。7月の都知事選挙の前にテレビ局が断念した候補者たちの討論をネットで実現して知られた。その集団が、これまではボランティアでやっていた組織を法人化することになった。資金をクラウドファンディングで集めた。先日、その結果を聞いたら、数日で予定の2倍の1500万円が集まったそうである。

ネットメディアの場合、コンテンツ制作に大きな予算も大きなスタジオもいらない。企画力があって、「君のところの番組になら出る」という人たちとの信頼関係があれば、テレビ局には作れないレベルの、質の高い番組を作れる。そのことに視聴者はもう気づき始めた。だから、ずいぶん原始的な方法であるけれど、小口の寄付だけで必要な額をはるかに超える金額を集めることができたのである。寄付した人たちは、これから先、Choose Life Projectが提供する映像コンテンツを「配当」として受信するわけである。

ネットで新聞社配信の記事を読んでいるうちに「以下有料です」と切られ、読むのをやめるということがよくある。重要な情報だから課金するという言い分はわかる。しかし、ほんとうに大事な、全国民が知るべき情報には無償でアクセスできるべきだと私は思う。だから、良質なコンテンツを課金なしで配信するこのモデルは新しい。

天然酵母でパンとビールを作っているタルマーリーも、独自の出版コンセプトを持つミシマ社も、市場で商品を売って代価を得るという関係とは別に「この企業にはぜひ存続してほしい」という人たちを「サポーター」として集め、その寄付によって企業活動を継続している。

製造者とその成果を享受する人たちとの間に人間的信頼関係があるからこそ、直接的な支援が可能になる。このような企業活動がポストコロナ期の「小商い」の一つの事業モデルになっていくだろうと私は思う。

（『週刊東洋経済』２０２０年８月８・15日号）

中国はこれからどうなるのか？

「王道」と「覇道」という二つの統治概念

現在の中国をどう見るか。中国といっても一枚岩ではない。私たちはどうしても国家戦略は政権中枢が首尾一貫した戦略に従って決定し、それを計画的に実行していると考えがちである。しかし、実際には、どの国にも複数の政治勢力、政治的意見が併存していて、その時々の内外の環境に適応して、合意形成している。

事情は中国でも変わらない。今、中国は東アジアできわめて強権的にふるまっているが、それは中国共産党が周到に準備された長期的な国家戦略を着々と実施しているというより、党内部の権力闘争や国内的な民族対立・階層対立などのファクターの複合的な結果として選ばれたもので、中国人の「一般意志」の発動だと見なすべきではないと私は思う。

私たちには中国共産党の政策決定プロセスが見えない。党内の力関係がどうなっているか、どういう異論があって、どのように調整した結果、このような政策が選択されたのか、そのプロセスがわからない。それでも、「中国は一枚岩ではない」という前提は押さえておくべきだと思う。

　中国には伝統的に、王が徳治によって民を治める「王道」と、強権によって民を治める「覇道」の二つの統治概念がある。パンデミックに際しての海外への医療支援などは「王道」政治であり、東シナ海・南シナ海への軍事的進出や新疆ウイグル・香港での人権弾圧は「覇道」政治である。この二つは中国の二つの路線であり、ケース・バイ・ケースでより効果的なものが選択されているというふうに私は考えている。

　中国が本気でアメリカに代わって世界の指導的地位を目指すならば、強権で他国をねじ伏せる覇道路線よりも、仁徳で他国を従わせる王道政治を採って同盟国を増やす方が長期的には確実である。覇道政治は短期的には効果的だが、歴史が教える通り恐怖で人を支配する体制は長くは続かない。

　私はパンデミックを機に中国は医療支援を中心にする王道路線に軸足を移すものと予測していた。トランプのアメリカがグローバル・リーダーシップを失って迷走している間に、潤沢な医療資源を活用して、世界各国に医療支援を行い、「君子」国として、国際社会における評価を高めるという方向を選択するだろうと思っていた。軍備を増強したり、周辺国を恫喝するよりも、医療支援の方が国威向上の費用対効果は高いからである。しかし、香港や新疆ウイグルの情勢を見る限り、中国は全面的に王道路線を採用する気はなさそうである。

なぜ、アメリカからグローバル・リーダーシップを奪還するという世界戦略上では圧倒的に効果的な王道路線を採らずに、あえて国際社会の敵意と警戒心を掻き立てるような強硬な覇道路線を選んだのか？　これは考える甲斐のある論件である。

第一に考えられるのは、習近平の政権基盤がそれほど盤石ではないということである。少なくとも党中央はそういう懸念を抱いているということである。

香港の民主派弾圧は「一罰百戒」効果をめざして行われた。党に逆らって、民主化や自治を求める者には絶対に譲歩しないという強い意志を示した。しかし、それは逆から見ると、これほどあからさまに非妥協的な姿勢を示さないと国内の民主化や自治のうねりを抑え込めないのではないかという「焦り」の表れと見ることもできる。「辺境」において多少の民主化や自治を許容したくらいのことではおのれの政権基盤は揺るがないというほどの自信は習近平にはどうやらないらしい。

尖閣領土問題の棚上げを提案した鄧小平も、ロシアとの国境問題を解決した胡錦濤も「寸土も譲らず」と言い立てる国内のナショナリストの声を抑えることができた。領土問題を解決できるというのは、「そういうこと」ができるほどに政権基盤が安定していたということを意味している。

つまり、中国が王道路線を採るか覇道路線を採るかの選択には、その時点で政権がどれくらい安定しているかが深く関与してくるということである。政権基盤が安定していれば、自国民に対しても、他国に対しても、寛容で融和的な態度をとることができる。不安定であればそういう選択肢はなくなる。国内の反対派を暴力的に弾圧し、隣国には強硬な態度を採るのは「国内外は敵ばかり」という現状認識の帰結である。

冷静に考えれば、王道路線の方が国際政治上味方を増やすうえでは効果的であり、国内の統治コストも安上がりで済む。それがわかっていながら習近平があえて覇道路線を採るのは、少しでも隙を見せたら、前からも背中からも刺されるリスクがあるという危機感を抱いているからである。中国の政策選択がどういうロジックに基づいているのかについては、それくらいしか私にはわからない。

人口動態が孕むリスク

しかし、中国について確実にわかっているデータが一つある。それは人口動態である。これが中国の「理解し難い」ふるまいを説明する第二の根拠となる。

中国は２０２０年に総人口が14億人を突破したが、人口増はもうすぐ終わる。２０２７年に人口はピークアウトして、それ以後急激な少子高齢化局面に突入する。２０４０年までに生産年齢人口は１億人減少する。特に30歳以下の人口減が顕著で、30％減。その一方、65歳以上の高齢者は増え続け、2040年には3億2500万人を超えると推定されている。

中国の中央年齢は、今はアメリカと同じ37・4歳だが、2040年には48歳にまで上昇する。これは現在世界最高の高齢国である日本の中央年齢（45・9歳）をはるかに上回る数字である。

加えて、1979年から2015年まで行われた「一人っ子政策」の負の影響が大きい。この時期には、跡取り欲しさに女児を堕胎して男児を出産する傾向が強かったので、この世代では圧倒的に男性が多い。ということは、生涯配偶者を得ることができないまま老境に達する男性がそれだけいるということである。この独身男性たちには家族がいない。妻も子もいない。兄弟姉妹もいない。両親も一人っ子だった場合には、おじもおばも、いとこも、何もいない全くの天涯孤独の身となる。伝統的に中国社会では、経済的に困窮した場合には、親族ネットワークが国家に代わって生活を支援するという仕組みがあったけれど、この親族ネットワークは「一人っ子政策」で消滅しかけている。

この独身男性高齢者たちの集団がこれから数千万人規模で登場してくる。彼らの多くは「配偶者を得られなかった」という事実から推して、低学歴、低職能者であるので自助を期待できない。そして、現代の中国には貧しい高齢者を扶養する社会保障システムがない。だから、政府が効果的な社会保障システムを今すぐ構築することができなければ、これらの高齢者たちが「流民化」するというシナリオもあり得る。そして、伝統的に中国では失政によって大量の「流民」が発生するというのは内乱が起こるときの徴候である。その風景に中国人は既視感を持っている。だから、北京はこれから10年、あるいは20年のうちに、ある程度まともな社会保障制度を整備することを迫られている。しかし、「才覚のある者はいくらでも金持ちになることができる」ということを経済成長のインセンティブにしてきた中国社会において、富裕層に課税して、それを経済的「敗者」に再分配するという社会主義的な政策は簡単には国民的合意を取り付けられないだろう。

高齢化にはもう一つ別の問題もある。それは国防予算の膨張である。

どの国でも、国防予算の多くは軍人の人件費である（日本は45％、ドイツは57％、アメリカは20％が人件費。中国はたぶん30～40％程度だと思われる）。現役軍人の給料は「軍備」の一部と見なせるが、退役軍人への恩給支出は国防力の増強とは関係がない。むしろ、国防予算のうちに恩給が占める割合が増えるにつれて、兵器のヴァージョンアップやＡＩ軍拡のために投じる割合は減る。中国の国防予算は総額としては伸び続けているが、そのすべてが軍備に充当されているわけではない。

今、米中両国の中央年齢は同じだが、アメリカが現在の出生率を維持し、これからも移民受け入れを続ければ、アメリカは、これからしばらくの間は、分厚い生産年齢人口を持つ例外的な先進国であり続けることができる。２０２７年から人口減少と高齢化を同時に迎える中国に対して、アメリカは人口動態に限って言えば圧倒的な優位を持っているのである。

中国政府はもちろんこのリスクを承知している。だから、中央年齢が米中イーブンであるうちが「米中逆転の勝負どころ」だと考えているはずである。あと20年もすれば、中国は人口減と高齢化で苦しむ今の日本社会のようになる。それまでに「貯蓄」した分をそれから後は「取り崩して」生きることになる。だから、「獲れる力があるうちに獲れるだけ獲る」というワイルドな国家戦略を嫌でも採用せざるを得ないのだ。じっくり手間ひまをかけて国際社会の信望を集めるという王道戦略を採れないのは、「じっくり手間ひまをかけて」という時間的余裕が中国には残されていないからである。

中国はこれから「切れるカード」がしだいに少なくなる。だから、今のうちに「切れるカード」を集められるだけ集める必要がある。それは「味方を増やす」と「敵を減らす」の二つのかたちをとる。

中国はまず国際社会に味方を増やそうとするだろう。さきほど言った医療外交がそうだし、「一帯一路」構想もそうである。今、中国が力を入れているのはアフリカである。これからあと22世紀まで人口が増え続けるアフリカは、中国にとってはマンパワーを潤沢に調達できる製造拠点であり、かつ巨大なマーケットでもあり、そして盟邦を集める「草刈り場」でもある。だから、中国は全力をあげてアフリカに食い込もうとしている。

ダイレクトな経済援助や民間への投資だけではない。中国はアフリカのいくつかの国では中央銀行の仕事まで代行している。もともとアフリカ諸国では旧植民地宗主国の銀行が独立後も金融業を支配してきたが、中央銀行の役割を代行していた欧州資本の銀行がこの間に次々と中国資本に買収された。今は多くの国で中国系の銀行がその国の金融政策や通貨発行をコントロールしている。

もう一つは文化政策である。中国は2000年代から世界中に孔子学院という文化機関を展開して、中国文化と中国語の普及を行ってきたが、アフリカではすでに46か国に61の孔子学院が設置されている。アフリカ各国に中国語ができて、中国文化に造詣の深いエリート層を形成しようという長期的な計画である。孔子学院で中国語をマスターした若者には、さまざまな奨学制度が用意されていて、希望すれば中国の高等教育機関に留学ができる。海外で高等教育を受けることができるのは、アフリカでは上流階級の子弟に限られるが、孔子学院で中国語を習って、中国政府の給費留学生になれば、それほど豊かでない家の子どもでも中国で高等教育を受けて、学位を得ることができる。学位があれば、母国でそれなりの地位に就くことができる。これらの元留学生たちは当然中国に対して親和的であり、中国人の友人知己もいる。そういう人たちがアフリカ各国の未来の指導層を形成するように中国は支援しているわけである。別に驚くほどのことではない。かつて英仏が植民地で行ってきた「未来のエリートの取り込み」を中国も模倣しているだけである。

その一方で、東アジアでは短期的には「敵を潰す」という政策を採っている。王道路線では時間をかけて親中派を養成するが、覇道路線では、軍事的・経済的な実力差があるうちに将来中国にとってリスクとなる要素を潰してゆく。そのようにして、２０４０年以降の「後退戦」を「味方はできるだけ多く、敵はできるだけ少なく」という状況で迎えようとしている。

テュルク族ベルトと華夷秩序コスモロジー

「一帯一路」構想は単なる経済政策ではなく、中央アジア、西アジア一帯をコントロールするための戦略だということを前にイスラーム法学者の中田考先生から伺ったことがある。たしかにそう考えるといろいろつじつまが合う。ウイグル、カザフスタン、ウズベキスタン、トルクメニスタン、タジキスタン……というエリアはイスラーム教スンナ派のテュルク系諸族の土地である。これからトルコが力をつけて東に影響力を拡大してきた場合、このエリアで「中華帝国」と「オスマン帝国」が接触することになる。だから、中国にとって喫緊の課題は、このスンナ派テュルク族ベルトが統治上のリスクファクターにならないようにすることである。長期戦略としては、新疆ウイグルからトルコに至る地域に多額の投資をし、各国の経済成長を支援して、スンナ派テュルク諸族を味方につける。短期的には、辺境の新疆ウイグルでのナショナリズム・分離主義を徹底的に弾圧して、スンナ派テュルク族のクロスボーダーな連帯が中国領土に入ることを許さない。そういう二面的な戦略だと思う。

中国の世界戦略が成功するためには、それが漢民族の「深い地政学」と平仄《ひょうそく》の合うものでなければならない。漢民族の「深い地政学」とは、華夷秩序コスモロジーのことである。

華夷秩序コスモロジーにおいては、世界の中心＝中原《ちゅうげん》に天命を受けた中華皇帝がいる。そこから同心円的に「王化の光」が広がり、その光が及ぶところが「王土」であり、光が届かない薄暗い辺境には「化外《けがい》の地」が広がり、そこには禽獣《きんじゅう》に類する「化外の民」が蟠踞《ばんきょ》している。

「化外の地」である辺境は、中華皇帝が実効支配しているわけではない。しかし、そこに住む辺境民たちが皇帝に朝貢すれば、見返りに皇帝からは官位爵位と気前の良い下賜品《かしひん》が与えられる。だから、辺境は、名目上は中国の属邦であるけれど、事実上は辺境の王が支配する自治領だということになる。「一国二制度」というのは華夷秩序コスモロジーにおいてはもともと辺境の本来的なあり方だったのである。

しかし、皇帝の力が強いときは辺境も治まっているが、皇帝のハードパワーが弱まると、辺境の蛮族が掌を返して、中央に攻め込み、天命が革《あらた》まって別姓の皇帝が新王朝を開く「易姓革命」が行われる。モンゴル族の建てた元や、女真族の建てた金や、満州族の建てた清がその例である。明を滅ぼして、後陽成天皇を中華皇帝に頂いて、新しい日本族の王朝を建てようとした豊臣秀吉のふるまいも、「華夷秩序の辺境人の思考」という枠組みで考えれば、別に珍しいものではない。

中原と辺境とはつねにそのような緊張関係にあった。現在、中国政府は世界最先端のＩＴ技術を駆使して国民を監視しているが、伝統的な王と臣民の緊張関係を考えれば別に不思議はないのである。すでに何年も前から、中国では国家予算のうちの治安維持費が国防費を上回っているが、それは中国政府が外敵の侵入を警戒する以上の警戒心を以て国民を監視しているということを意味している。

日本政府もマイナンバーとかいろいろ国民監視システムを構築しようとしているけれども、中国政府とは必死さの桁が違う。監視を怠るとどこかの府県が分離独立運動を起こすというようなリスクを日本の為政者は恐れる必要がない。せいぜい与党の座から滑り落ちて、いくつか利権を失うというだけのことである。だから、中国政府のふるまいを理解するためには、日本人の常識をいったんかっこに入れて、それなりの想像力を発揮する必要がある。

おそらく、日本人は「一国二制度」というもの自体をよく理解できていないと思う。辺境の「化外の地」というのは中華皇帝の領土なのか、そうではないのかがはっきりしないゾーンなのである。そこは中国領土であると言えば、中国領土であるが、実際には辺境民の「高度な自治」に委ねられている。だから、中国がそこを侵略し、直接支配下に置こうとすることがあるとすれば、それは「ここは王土ではなく、中華皇帝の王化の光が及ばない場所である」と宣言して、華夷秩序からの離脱を企てる場合だけである。

日本列島の王たちも久しく中華帝国の官位を得ていた。漢に朝貢していた九州の王は「漢《かんの》委奴国王《わのなのこくおう》」、明と貿易していた足利義満は「日本国王」という称号を受けていた。けれども、それにもかかわらず、日本列島住民たちは中国の官制とも法律とも無関係に久しく自治を享受していた。唯一の例外は元寇であるが、このときも「大蒙古国皇帝」フビライ汗から「日本国王」への親書は「聖人四海を以て家となす。相通好せざるは豈《あに》一家の理ならんや」と言って、中華皇帝に対して辺境民としての臣下の礼を怠ったことを責めている。日本を「他国」だと思って侵略しようとしたわけではない。

今、中国は香港の民主化運動を暴力的に弾圧している。香港は1997年の返還時に香港基本法という法律によって「一国二制度」というステイタスを得たはずだが、習近平は逃亡犯条例改定や香港国家安全維持法によって、香港を北京の直接支配下に置こうとしている。香港が「ここは中国領土ではない」と独立を図ることを恐れて、予防的に動いているのだと思う。国際社会の常識に照らして見れば、許し難い行為だが、中国人の「深い地政学」に即して見れば、中華帝国への服属を拒否して、独立を目指す香港の民主派の方が「一国二制度」の趣旨に違背しているという理屈になる。

新疆ウイグルの弾圧も、華夷秩序のコスモロジーに即して絵解きすることができる。中国には55の少数民族がいる。「少数」といってもあくまで漢民族に対して少数ということであって、雲南に住むチワン族は1900万人、西域のウイグル族は1100万人、回族は10

00万人であり、国連加盟国と規模において変わらない。

伝統的に辺境の少数民族が中央に朝貢し、形式的に服属する限り、中央政府は彼らに一定の自治を認める。しかし、分離・独立をめざして、「ここは中華皇帝の権力が及ばない土地だ」と宣言すると暴力的に弾圧する。そのパターンは変わらない。

新疆ウイグルも、鄧小平のときまでは、ここを交易の拠点として、スンナ派テュルク族との連携を深めることが中国政府にとっては優先的な政治課題であった。だから、民族語の学習や、民族文化の保護が推奨されていたのである。それが民族根絶に等しい弾圧に一転したのは、習近平がこの地域における分離主義・ナショナリズム・独立機運の勃興を恐れたからである。「身内」であると思うからこそ、あるときは宥和的に接し、「身内」であると思うからこそ、「一家」から離脱しようとする者には「豈一家の理ならんや」と家父長的な暴力を揮う。同一のロジックに基づいて、不干渉と弾圧と態度が反転するのである。

華夷秩序コスモロジーにおける「中華皇帝」の「辺境民」に対する態度の遷移はこれで説明することができると思う。香港や新疆ウイグルへの弾圧は、少なくとも漢民族の主観においては、家父長による未成年者の「膺懲《ようちょう》」であり、罪悪感を伴っていない。その理屈は、かつて大日本帝国が「八紘一宇《はっこういちう》」の美名の下に隣邦を「膺懲」したのと、それほど違ってはいないのである。

中国の歴史的・文化的な趨向性は「西へ」

私は２００７年に『街場の中国論』という本を出版した。しばらくして中国の出版社から翻訳のオファーがあった。その際、先方から条件が出されて、それは「文化大革命と少数民族について書いた章はカットさせて欲しい」ということだった。条件付きでの翻訳は嫌だと言って断ってしまったのだが、そのときに中国では「漢民族同士の国内闘争」と「辺境の分離」の二つが最大の政治的タブーなのだということがわかった。

中国人の思考と行動を理解するためには、華夷秩序のコスモロジーを理解する必要がある。私はそう考えている。歴史と文化に深く根ざした集団的な趨向性《すうこうせい》というものが、どこにもある。私はそれを「深い地政学」というふうに先ほど呼んだのだが、これはトルコの政治学者アフメト・ダウトオウルの『文明の交差点の地政学』（書肆心水）からアイディアを借りたものである。ダウトオウルはエルドアンの下でトルコの首相や外相を務めた人だが、国には「定数」と「変数」があるという仮説を立てている。「定数」は歴史、地理、人口、文化、「変数」は経済力、技術力、軍事力。国が一貫した政治意志を持って、国のポテンシャルを最大化するためには定数と変数が一致しなければならない。ダウトオウルはそう書いている。それはオスマン帝国解体以来、トルコがヨーロッパ・アジア・アフリカに接する「交差点」として地政学的な要地を占めながら、近代においてほとんど世界史的役割を演じえなかったことへの痛切な反省に基づくものである。歴史と文化に深く根ざした「国民の物語」にドライブされない限り、世界史的スケールの政治的行動はできない。この仮説は世界のどの国についても、アメリカについても、中国についても、もちろん日本についても適用できるだろうと私は思う。

中国における歴史的・文化的な趨向性という「定数」は「西へ」である。漢代には張騫《ちょうけん》、李《り》陵《りょう》、霍去病《かくきょへい》ら将軍たちが数十万の大軍を率いて何度も西征した。彼らがたどった道筋は今の一帯一路の「シルクロード経済ベルト」のコースとそのまま重なる。「21世紀海洋シルクロード」のコースは明代の鄭和《ていわ》の大艦隊がたどった航路とそのまま重なる。鄭和は蘇州を出て、東シナ海を南下し、南シナ海からマラッカ海峡を抜けて、インド洋を通って、アラビア半島を経由して東アフリカに向かった。鄭和はこのコースで7回の大航海をした。つまり、中国人には陸路を西に向かうか、海路を南下してから西へ向かうという歴史的趨向性があるということである。

他方、中国人は「東」にはほとんど興味を示さない。中国人が東海に船出した話としては、二度の元寇の他には、秦代に始皇帝の命をうけた徐福《じょふく》が不老不死の薬を求めて東海に旅立ったことと、5回にわたる渡航に失敗した末に10年かけて日本に到着した鑑真くらいしか印象的なエピソードを私は知らない。

中国人は「東海へ船出する」ということを「ミステリー・ゾーン」に向かう旅のように思いなしていたのではないか。現に、鄭和の大艦隊は7回の大航海で東アジア全域に明の国力を誇示したのに、一度も東へ向かっていない。日本列島に立ち寄って、沖合から大艦隊の威容を示すくらいのことはしてもいいのに、つねに蘇州から一気に南下して、一度も東を目指すことがなかった。

元寇の前に、663年には白村江《はくすきのえ》の戦いがあった。日本はこのときに唐・新羅連合軍に歴史的大敗を喫した。当然、このあと唐と新羅は日本列島に攻め寄せるだろうと日本人は考えた。その時点で、東アジア諸国のうち唐に帰属していなかったのは日本だけだったからである。そこで防人《さきもり》の制を整え、大宰府に水城《みずき》を建設し、防衛のために都を内陸に遷した。しかし、待てど暮らせど唐は攻めてこない。しばらくして遣唐使をそっと送り出したら、これまで通り処遇してくれた。そうやって「唐が攻めてくる」という話はいつの間にか立ち消えになった。

歴史家は「ある出来事がなぜ起きたか?」については説明してくれるが、「起きてもよかったのに起きなかった出来事はなぜ起きなかったのか?」という問いには興味を示さない。だから、「なぜ唐は日本列島に攻め込まなかったのか?」という問いは歴史学的な問いにはならない。それは中国人の「深い地政学」においては東海への関心が際立って低いからだと私は思う。

東方への領土的野心を示したのは元寇のときだけだけれど、それは漢民族ではなく、モンゴル族の事業であった。中国は朝鮮半島までは「東夷」征伐に何度も軍を送ったが、そこから対馬海峡を渡ってさらに東進することには何となく気が乗らなかった。そういうことはたぶんあるのだと思う。現に、習近平が「一帯一路」で示した「西へ」というアイディアは国民的な熱狂を掻き立てることに成功した。しかし、仮に習近平が「西太平洋の制覇」を外交目標に高く掲げても、国民はそれを民族的な宿願の実現というふうにはとらえないだろう。東海を制覇するために、例えば、アメリカとの軍事衝突を辞さないというようなことは口では言えるだろうし、国民も表立っては反対しないだろうが、そのアイディアには漢民族をまとめ上げ、高揚させるような歴史的・文化的な「深み」がない。

たしかに尖閣でも、南沙諸島でも、スカボロー礁でも、中国と隣邦の間では領土問題があり、関係諸国は領有権を主張して譲らないでいる。しかし、問題の地域はいずれも「辺境」である。だから、本来は漢民族の主観においては「中国領土かどうかはっきりしないもの」として観念されている。中国人が反発するのは「ここは中国領土ではない」というかたちでデジタルに分離されることであり、「領土問題がある」ということは「中国領土かどうかはっきりしない」ということの言い換えであるから、たぶんそれは別にそれほど気にならないのだと思う。辺境は「中国領土かどうかはっきりしない」のが常態なのである。これは私たち日本人にはわかりにくいことである。私たちは「どこからどこまでが日本領土か」ということをひどく気にする国民だからだ。そして、それが世界標準だと思っている。けれども、必ずしもそうではない。

鄧小平はかつて尖閣問題について「誰に帰属するのかよくわからない土地は、わからないままにしておこう」と「棚上げ論」を出した。このとき、鄧小平は「辺境はデジタルな区分になじまない」という漢民族の常識を語っていたのである。これは「わが領土は寸土も譲らず」というタイプのナショナリストの口からは絶対に出てこない言葉である。そして、私が知る限り、この鄧小平の「尖閣棚上げ論」に対して、中国人から国民的な抗議の声が上がったということはなかったようである。

私たちは中国が東海においてめざしているのは「デジタルな国境線を引いて、他国を完全に締め出すこと」だと考えているが、彼らにしてみれば、「所属がはっきりしない土地がある」ということを国際社会に認めさせることができれば、それでも十分に目標は達成されたということになるのではないか。自他の国境概念の差異を勘定に入れておいた方がいいと私は思う。

カール・シュミットに「陸の国、海の国」という分類法があるが、それを適用すれば、中国は本質的に大陸国家だと思う。海軍を増強して、西太平洋の制海権を持つことが軍事的に有用であることはもちろん中国人も理屈ではわかっている。だが、果たしてそれが国民的なエネルギーを動員できるようなアイディアであるかどうか、それは中国人に訊いてみないとわからない。

　そのような独特の地政学に基づいて行動する中国にどう対処するか。日米同盟だけでは東アジアの安全保障は立ちゆかない。日本は韓国、台湾、香港、ＡＳＥＡＮ諸国との連携を深め、日米同盟以外の複数の外交基軸を並行的に追求すべきだと私は考えている。

　もう一つ忘れてはならないのは、台湾、香港、シンガポールは当然として、アジア諸国ではどこでも同じ言語を語り、同じ生活文化を共有する漢民族のネットワークが存在して、それぞれの国の政策決定に大きな影響力を行使しているということである。彼らは、国民国家の成員としては「他人」だが、民族としては、一種の共同体を形成している。仮に、中国と国益が対立している国であっても、そこには漢民族が居住している。それを無視してはならないと思う。

　外交問題が生じたときに、中国外交官のカウンターパートとして登場してきた人が、客家《ハッカ》出身の華人だということはあり得るのだ。彼らは中国語で対話するだろうし、そのときに合意点を見出すためには、国境を超えた世界の華人ネットワーク全体から「それはいかにも中国人らしいふるまいだ」と認められる落としどころを探るはずである。中国が自国益だけに固執していた場合に、東アジアをはじめ世界に居住する華人たちからの支援は期し難いだろう。「世界に味方を増やす」という中国の王道路線からすれば、世界各国に離散し、それぞれの社会に深く根づいて相互扶助ネットワークを形成している華人ネットワークからの支持は不可欠のものである。そのあたりのことも、中国政府の外交政策には一定程度は関与しているはずである。

日韓台による東アジア共同体

私の書いた『日本辺境論』は今述べたような華夷秩序における辺境として日本の歴史的・文化的なふるまいを解釈した試みだが、これは中国語に翻訳されて、中国共産党中央紀律委員会の指定図書として、幹部党員に推薦された。この本がどうして選ばれたのかはつまびらかでないけれども、そこに書かれていることが現在の中国を論じる視点として「まったく的外れ」だと思われたら、指定図書にはなっていないだろう。

日本列島は久しく中華帝国の辺境であった。「日本」という国号自体「中国から見て東」という意味なのだから、日本列島住民の心理には「辺境」という意識が深く内面化している。秀吉の朝鮮出兵も大日本帝国の満州建国も日中戦争も「国力を増強させた辺境民が中原《ちゅうげん》に鹿を逐《お》う」というスキームの中の出来事であると考えれば、中国の歴史と文化の文脈にすとんと収まる。そのことを指摘する人が日本にはあまりいないけれど、たぶん中国人から見ると私の言っていることは「当たり前」なんだと思う。「当たり前のこと」を書いている珍しい日本人がいるというのが推薦図書になった理由だろう。

華夷秩序のコスモロジーは東アジア全域に共通する。中国の王朝名は漢字一字で、そこから離れるほどに字数が増える。匈奴《きょうど》、鮮卑《せんぴ》、突厥《とっけつ》、渤海《ぼっかい》などなど。韓国も台湾も越南《べとなむ》も漢字二字である。

辺境同士ではそれなりに話が通じると私は考えている。中国という隣接する大国とどうかかわるべきか長い間熟考してきて、歴史的・文化的な蓄積を有しており、そこにはある種の共通性があるはずだからである。

私は前から超大国中国に対抗するために日韓台の「合従《がっしょう》」による東アジア共同体を提案している。「合従」というのは、大国秦に対抗するために、韓・魏・趙・燕・楚・斉の六国を連合させようとした構想である。実際には、六国は「合従」策を採らず、秦との個別同盟である「連衡《れんこう》」策を選んで、最終的にすべて秦に滅ぼされた。

この「合従」策の最大のメリットは、相手が韓国でも台湾でも「合従連衡」と言えば誰でもその意味するところがわかるという点である。これが文化的同質性の強みである。

これまで私は欧米の政治学者が書いた中国論をいろいろと読んできたけれど、華夷秩序コスモロジーが東アジアの諸国民の思考と行動にどう影響しているかを論じたものを寡聞《かぶん》にして知らない。本来なら日本人の政治学者は東アジアの状況を欧米の政治学者よりはよく理解できるはずだけれど、どうもそのアドバンテージを活用しているようには見えない。

私が懸念するのは、東アジアにおける華夷秩序コスモロジーも実は弱まりつつあるのかも知れないということである。習近平の覇道路線は近代西洋の「パワーポリティクス」にしだいに接近しつつあり、「中国らしさ」が失われているようにも見える。国のふるまいが同型的になるというのは外交上あまりよいことではない。

というのは、何が「核心的国益」であるかについて、相手国との間に「ずれ」があるということが外交的な落としどころを探るときの手がかりになるからである。ある国にとって「どうしても譲れないこと」が別の国にとっては「必ずしもそうではない」ということがある。その逆もある。この価値観の「ずれ」がネゴシエーションの余地となる。もし、すべての国が単一の価値観で動いており、こちらが「譲れないもの」はあちらも「譲れない」のだとしたら、一度対立した後にはもう外交の余地はない。軍事的解決しかなくなる。だから、習近平の中国がかつての欧米の帝国主義国家と「顔つき」が似てきて、「中国らしさ」を失ってきたことを私はひどく不安に思っているのである。

けれども、「中国らしさを失った中国」では中国国民の精神的統合は難しくなるだろう。世界の華人ネットワークも中国を支持する熱意を失うだろう。それは長期的には中国の国益を損ない、国力を殺ぐことになると私は思っている。

中国の人口は14億人だが、これは19世紀末の世界人口と同じである。これだけの国民をひとつに取りまとめるためには、どうしても歴史と文化に深く根ざした、シンプルで力強い「国民の物語」が必要である。それはかつての植民地帝国と同じようにふるまうことでは決してないはずである。中国がかつての「中国らしさ」を回復してくれることを私は願っている。

（２０２１年１月22日）

ジョージ・オーウェル『１９８４』

最初に読んだのは高校生のときだった。たまたま『動物農場』が高1の英語のリーダーの教科書だったので、オーウェルのことを「教科書になるような作家」だと思い込んだ。子どもの頃から「読んではいけない」と言われるものばかり選択的に読んできたので、「読め」と大人が薦める『１９８４』はそれほど過激な小説ではないのだろうと思っていた。実際に、そういう猜疑心《さいぎしん》を以て読んだせいか、中学生の頃に耽読《たんどく》した妄想的なディストピアSFの描写に比べるといささか理屈っぽく感じられた。それきり手に取らなかった。

90年代にオーウェルに取り憑いた悪夢のようなスターリン型のディストピアは地上から消え去った。だから当然、『１９８４』もその歴史的使命を失って、しだいに読まれなくなるのだろうと思っていた。ところが、21世紀に入って、人々が繰り返し『１９８４』に言及するようになった。先見性があり過ぎるという評価である。ほんとうかしらと思って、半世紀ぶりに新訳を読んで驚いた。ジョージ・オーウェルは未来予知能力があったのではないかという気がしてきた。いつのまにか、この小説に書かれていることと日本の現実の境目がわからなくなってきていたのである。

不思議なことがあるものだ。というのは、想像力を駆使して未来について書いた小説は、どんなにすぐれたものでも、時間が経つにつれてしだいに非現実的になるものだからである。例えば、今１９５０年代に書かれたＳＦを読んだ場合に、そこに出てくるタイムマシンや宇宙船の細部の描写に私たちがリアリティを感じるということはまずない。でも、『１９８４』は違う。むしろ細部のリアリティが際立っている。

オーウェルがこれを書き上げたのは１９４８年である。オーウェルが想像力だけを駆使して造形した１９８４年のディストピアの細部は、それから70年以上を閲《けみ》して、むしろリアリティを増した。どうしてそんなことが起きるのだろう。

それはオーウェルがこの小説を「頭で」書いたのではないからだと思う。彼はこの小説を書いているうちに、どこかで「鉱脈」を掘り当ててしまったのだ。そこから「何か」が噴出してきたのである。

オーウェルがスターリン主義を徹底的に戯画化した『動物農場』は「おとぎばなし」であった。スペイン戦争におけるスターリン主義者のふるまいを活写した『カタロニア讃歌』はドキュメントであった。むろん「おとぎばなし」やドキュメントにも固有の力はある。すぐれた作品は（この二つはいずれもそれぞれのジャンルにおいて例外的にすぐれた作品である）読者を揺り動かす力を持っている。けれども、「鉱脈」を掘り当ててしまった小説の力はそれとはまた異質のものである。

岩盤を鑿《のみ》と金槌を使って掘り下げるところまでは作家の意識的な作業である。自分が何を書くべきなのか、それがどのような効果をもたらすものかを作家はわかった上で作業している。けれども、鑿が最後の岩盤を突き破ってしまうと、そのあとは怒濤のような物語の流れが小説を支配する。もう物語は作家の統御を離れてしまう。

物語の冒頭、ウィンストン・スミスの日常生活を描写しているところには作為があり、つくりもの感がある。「テレスクリーン」も「思想警察」も「真実省」も「ニュースピーク」も「二重思考《ダブルシンク》」も「二分間ヘイト」も、アイディアとしては卓越している。けれども、これらはオーウェルが脳内でこしらえたものである。現実のソ連にも英国にもそんなものは存在しなかった。しかし、それらの虚構がある時点から作家の手を離れて固有のリアリティを持ち始め、自律的に動き始める。よく物語作家が「作中人物が勝手に動き始めて……」ということを自作について語るけれど、『１９８４』でもある時点からそれが始まる。

物語がぐんと加速するのは、本書の69頁、ウィンストンが「朝の大仕事」を始めるところである。たぶんこのあたりから岩盤の向こうに「鉱脈」の気配がしてきて、オーウェルの筆も走り始める。真実省で公文書の改竄を本務としているウィンストンのところに「数学の問題に没頭するのと同じように我を忘れてしまうような、複雑で入り組んだ仕事」が来る。かつてビッグ・ブラザーから叙勲されたウィザーズ同志という人物が「否在人物《アンパーソン》」にカテゴリー変更されたために、ビッグ・ブラザーが彼に言及した演説から彼の痕跡を消すという仕事である。
どうしてウィザーズが「存在しない」ことになったのか、理由はわからない。汚職か無能か嫉妬か異端か、わからない。とにかくこの人物が存在した痕跡をあとかたもなく公文書から取り除かなければならない。ウィンストンはそのための「繊細極まる捏造作業《ねつぞう》」にとりかかる。そして、この作業を進めているウィンストンの手際に集中しているうちに、気がつくと、読者である私たちもまた、ウィンストンとともに、この世界の思考習慣に沿って思考し始めているのである。
ウィンストンの捏造作業には職業的な精妙さが要求される。ビッグ・ブラザーがウィザーズについて言及した箇所を「普段どおり反逆者や思想犯の糾弾へと変えることもできる」が、それは「少々露骨すぎる」。かといって前線での戦果や経済活動の成功についての自画自賛演説をでっち上げるると、話のつじつまを合わせるために関連文書まで書き換えなければならなくなる。そこでウィンストンは「純然たる作り話」を作ることにする。ウィンストンは「オグルヴィ同志」なる虚構の人物について物語を書くというアイディアを思いつく。「確かに、オグルヴィ同志という人物はどこにもいないが、数行の記事と写真が何枚かありさえすれば、すぐにでも彼を実在させられるだろう。」(73頁)
この箇所を読み進めているうちに、私たちはいつの間にかウィンストンがこれから行う精密な公文書偽造を一種の知的ゲームのように楽しみ始めている。どうやって精密な公文書偽造を行うのが「よいこと」なのか、それをウィンストンと一緒になって考え始めている。ウィンストンがオグルヴィ同志についてどんな偽りの物語を書いたかということはどうでもいいのである。重要なのは、私たちがいつのまにかウィンストンの捏造作業にひそやかな応援を送っているということである。彼が改竄を終えて、同時並行して書かれている複数の改竄原稿の中から自分のものが選ばれるだろうと「確固たる自信を感じた」ときに、私たちは彼とともにいささかの満足を感じる。「ほんの一時間前には想像の中にすら存在しなかったオグルヴィ同志」が今や「１９８４の世界」に実在し始めたように、捏造作業のプロセスを眺めているうちに、私たちもまた「１９８４の世界」の中に半身を引きずりこまれているのである。一度物語の世界に片足を突っ込んだら、あとはもう流れに身を任せるしかない。頁をめくるごとに物語のリアリティが濃密になり、臭いや手触りがたしかなものになってくる。

　その次の章で言語学者であり「ニュースピークの専門家」であるサイムが「ニュースピーク」について長広舌《ちょうこうぜつ》をふるうとき、彼の言葉はまるで今ここで私に向けて語られている言葉のように生々しい。

　ニュースピークは新しい言語の創造ではない。言語の破壊である。それは極限まで言語を切り詰める企てだからである。「良い」という単語があるから、もう「悪」は要らない。「否良い」で十分だ。「良い」を強調したければ「加良い」でいい。もっと強調したければ「倍加良い」でいい。これを限界まで突き詰めてゆけば、最終的にはたった六語ですべて済ませることが可能になる。サイムはそう豪語する。
「ニュースピークの目的は総じて、思考の範囲を狭めることにあるというのが分からないか？　最終的には思想を表現する言葉がなくなるわけだから、従って〈思想犯罪〉を犯すのも文字通り不可能になる。（…）年々言葉の数は減っていき、意識の範囲も延々と縮小し続けていくんだ。（…）二〇五〇年までには、僕たちが今しているような会話を理解できる人間は、ひとり残らず死んでしまっている」とサイムは予測する（82〜83頁）。そのとき革命は完了する。なぜなら人々はもう思考しなくなるからだ。

このサイムの言語の破壊にかかわる長い演説をオーウェルは本気で書いたのだと思う。これは作り話ではない。「ニュースピーク」は作家の想像の産物ではない。これは『1984』を書いている時点で英国に（予兆的にではあるけれども）すでに存在し始めていた現象であり、私がこの物語を読んでいる時点で、日本でもすでに不可避的に広まっている言語の解体プロセスを指し示しているからだ。

「思想を表現する言葉がなくなりつつある」というのは1948年のオーウェルの偽らざる実感だった。言語の危機はこの時点ではまだオーウェルのような例外的な人たちにしか感知されていなかった。けれども、いずれ、言語の危機は全体化する。人々は新しい言語の創造より、言語の破壊に、意識の範囲の拡大よりも縮小に熱心に取り組むようになるだろう。オーウェルはそう確信していた。サイムの言葉が確信に満ちているのは、それがオーウェルの実感だったからである。

『１９８４』の物語はここからあと疾走するように展開してゆく。私は『１９８４』がこれほどドライブ感のある物語だと以前読んだときには気づかなかった。もちろんそれは新訳の手柄であるわけだけれど、何よりもオーウェルが「１９８４の世界」は遠からず到来するという確信を持っていたからだと思う。そして、そのディストピアを徹底的にリアルに描くことによってそのような世界の到来を阻止することをオーウェルは目指していた。たぶん、そうだと思う。作家がディストピア小説を書く動機は自虐や冷笑ではない。「そういう世界が到来しないように」という希望が物語の細部にリアリティを与えるのだ。

しかし、『１９８４』はディストピアの到来を阻止することができなかった。だから、これは例外的な小説なのである。それからあとの世界は（少なくともその一部は）まるで魅入られたように、オーウェルが描いた通りのディストピアに向かっていった。それは精密に予言された未来はそうでない未来よりも実現しやすいということなのかも知れないし、人間の本性のうちには『１９８４』的ディストピアに進んで向かう根源的な趨向性が含まれているからかも知れない。私にはわからない。

正直に言うが、私はオーウェルの『カタロニア讃歌』はすぐれたノンフィクションとして文学史を生き延びるだろうけれど、『１９８４』や『動物農場』はあまりに定型的過ぎるがゆえに歴史の風雪に耐えられないだろうと思っていた。そう思ったおのれの不明を恥じなければならない。『１９８４』も『動物農場』も、スターリン主義のディストピアが遠い昔の話になった今でも十分に怖い。昔読んだときよりもむしろ怖い。人間は歴史から何も学習しない生き物ではないのかと思って慄然とするのである。

（ジョージ・オーウェル著、田内志文訳『１９８４』解説、角川文庫、２０２１年）

1984年のディストピア

過去も未来もない『1984』的社会

『1984』はご承知の通り、1949年に発表されたジョージ・オーウェルのディストピア小説で、スターリンのソ連をモデルにしている。「ビッグ・ブラザー」という独裁者が君臨する管理国家・監視社会の中で、体制に疑問を抱いた主人公の経験する危機と転落が描かれている。

最初に読んだときは、正直言って、あまりリアリティを感じなかった。もう世界はスターリン批判の後だったし、60年代は世界中で若者たちが元気いっぱいに叛乱していた時代だった。今さら日本が独裁制の国に戻ることなんてあるはずないと思っていた。しかし、今読み返すと、小説の世界と現実の日本の境目がわからなくなる。

『1984』的社会は世界中に生まれている。国民監視テクノロジーは急激な進化を遂げており、コロナ禍を機に国家による国民統制はさらに強化されている。例えば、『1984』

では、各家庭に「テレスクリーン」という巨大テレビが設置されていて、監視すると同時に、プロパガンダやビッグ・ブラザーの映像を四六時中流している。昔は「こんなでかいテレビが家の中にあったら、鬱陶《うっとう》しいだけで、効果なんかあるはずない」と思っていた。しかし、どうもそうではないらしい。社会心理学では、同一人物がテレビ画面に繰り返し登場してくるだけで「単純接触効果」によって好感度が増すということが知られている。政治家たちは「実際に政策を成功させること」よりも、テレビに繰り返し顔を出して、「政策が成功しているふりをする」方が支持率を上げるためには有効だということに気がついた。東京や大阪の首長はそれで高い支持率を現に達成している。

近代市民社会論の前提は「すべての個人は、自己利益の最大化を追求するために合理的に行動する」というものだった。全員が他者の利益や安全を顧みず、ひたすら私利私欲だけを追求する「万人の万人に対する戦い」の社会よりも、公権力による一定の私権制限を認め、私財の一部を公共に供託して再分配する社会の方が、自己利益が安定的に確保される。だから、真に利己的な人々は、私権の部分的制限と、私財の部分的供託を受け入れるはずだというのがロックやホッブズの考えだった。

ところが、今の世界を見ていると、ひっきりなしにテレビで見たり、声を聞かされたりしている政治家については、彼らが私たちの自己利益を深く損なうような人物であっても、その人物に親近感を感じて、その政策を支持してしまうらしい。人間は自己利益の最大化をまず配慮するほどには利己的な生き物ではなかったということである。

「単純接触効果」というのは、言い換えると、「今ここで自分に触れているものに支配される」ということである。それがどういう経緯で今ここにいることになったのか、これから自分にいかなる影響を及ぼすのか、過去と未来にわたる時間の流れの中で考えることを放棄するということである。

　自己利益の最大化を真剣に考量しようと思えば、ある程度の長さのタイムスパンの中で、出来事の意味を吟味する必要がある。短期的には「うまみ」があるが、長期的に見ると「間尺に合わない」ということはいくらもある。だから、真に利己的な人間は「長期的に見て、間尺に合うか、合わないか」を思量する。だが、「今ここで自分が触れているものに支配される」人は「長期的に見て」ということができない。

　事実、『１９８４』の世界には過去も未来もなく、現在しかない。『１９８４』では「真実省」という役所が権力者のそのつどの都合に合わせて過去の記録を改竄している。目先の都合に合わせて歴史を書き換える、いわば「歴史修正を本務とする省庁」である。しかし、現在の都合でそのつど書き換えられる過去は過去ではなく、過去形で語られた現在である。だから、歴史修正主義者というのは、現在形でしか過去を語ることができない人ということである。「今ここ」という定点に釘付けにされていて、過去を正確に記憶することも、未来を先入観抜きに予測することもできない人間たち、それが『1984』的社会の住人である。そして、それはそのまま現代日本人である。

政治家、官僚たちの破綻した言葉

『1984』には、「二重思考《ダブルシンク》」という概念が出て来る。これは「本心から信じながらも意図的に嘘をつくこと、都合の悪くなったあらゆる事実を忘却すること、それから再び必要となったときには必要な期間だけそれを忘却の彼方から呼び戻すこと」と説明されている。思考を二重底にして、自己都合で「忘却」したり、「想起」したりできる能力のことである。

森友・加計・桜、東北新社の接待問題などでは、官僚たちが一斉に記憶を喪失し、動かぬ証拠を突き付けられると突然記憶を取り戻すということを繰り返し見せてくれた。「考えていること」と「言っていること」、「前に言ったこと」と「今言っていること」が明らかに矛盾しているのだけれど、本人にはそれが気にならないらしい。これはまさに「二重思考」以外の何ものでもない。

「二重思考」では前後に矛盾が生じるので、論理が破綻する。論理が破綻すると、ふつうは気持ちが悪い。自分の知的能力の欠陥が可視化されたように思えて、恥じ入るものだ、と私たちは考える。でも、そうではないのだ。平然と嘘をつき、記憶を失い、また記憶を回復するさまを見ていると、彼らが「論理が破綻している」という病態を少しも悪いことだと思っていないことが知れる。自己矛盾を指摘して、相手を追い詰めるのは相手が前に言ったことを記憶していることが前提である。「あなたは前にこう言ったが、今回は違うことを言っているではないか」という指摘が有効であるためには、相手が「前に言ったこと」を記憶していることが必要である。前に言ったことを忘れることができる人間には自己矛盾という概念そのものが欠如しているのである。

公人の口からひとたび出た言葉は取り消しが利かないことを古言で「綸言《りんげん》汗の如し」と言う。一度出た汗は身体に戻せないという意味なのだが、どうも当今の政治家や官僚の口から出た言葉は出たそばから汗になって蒸発してしまうらしい。

『１９８４』の世界では、人々は「ニュースピーク」という語法で話す。ニュースピークは「新しい話し方」ではなく、言語の破壊のことである。それは極限まで言語を切り詰める言語改革のことである。

日本の政治家たちはひたすら言語を破壊し続けた。戦争ができるようにする法律のことを「平和安全法制」と呼び、オスプレイの墜落を「不時着」と言い換え、「募っているが、募集はしていない」と言い、「政治責任という語には定義がない」と言い放った。安倍・菅二代の政権下で政治家の語る言語はひたすら軽く、薄く、無意味になった。しかし、メディアはこの「ニュースピーク」をそのままに無批判に再生している。政治家が言い、メディアが流布するなら、それが日本語の基本文型になるのは時間の問題である。いずれ、「個別の事案についてはお答えを差し控える」とか「仮定の質問には答えられない」とかいう定型句を子どもまでが真似するようになるだろう。

とはいえ、話を引っくり返すようだけれど、日本が『1984』的な管理国家になる可能性は実は低いと私は思っている。

政府があまりに無能だからである。

これまで日本政府はIT関連ではほぼすべての制度設計に失敗してきた。マイナンバーで国民の個人情報を管理しようとしたが、コロナ接触確認アプリ「COCOA」程度のシンプルな仕組みさえ運用できない政府が、そんな複雑な仕組みを運用できるはずがない。仮に国民監視システムを作ろうとしても、どうせパソナか電通に丸投げして、そこが中抜きしてどこかに再委託して、そこがまた中抜きして……ということを繰り返して、最終的には下請けのIT企業で時給2000円の非正規雇用のプログラマーが納期に追われて徹夜続きで作ったバグだらけのシステムを納品するというような結果になることは目に見えている。

だから、政府は本気で中国のような中枢的な国民監視システムを作る気はない。その気があれば、ほんとうに「使える人間」をIT行政の要路に配しているはずだが、人事を見ている限りでは、能力はどうでもよくて、「上にへつらい、下には居丈高」という事大主義者に国民監視を委ねるつもりでいるようだ。むろん、こんな連中が設計して、利権として恣意的に運用する国民監視システムが効率的に機能するはずがない。

そうではなくて、日本が高度監視社会になるとしたら、それは昔と同じように「隣組」からの密告に頼るシステムによってであろう。隣人の私生活を覗き見して、「お上」に訴え出るという市民の相互監視が一番管理コストが安い。ゲシュタポは非常に効率的に反ナチ的な市民を摘発していったと信じられているが、別に卓越した諜報機関だったわけではない。逮捕者の95%は隣人からの密告だったからである。

日本でも事情は変わらない。国民をイデオロギー的に分断し、相互不信の感情を醸成し、「国賊、非国民である反日日本人を摘発せよ」と政府が号令を下せば、多くの市民は嬉々として隣人の所業を密告するだろう。IT後進国である日本では、国民監視システムとしては「隣人の密告を勧奨する」制度が採択されるはずである。私はそう確信している。

ポストモダニストたちの「大きな物語」の否定

『1984』のモデルはスターリンのソ連だが、スターリン自身は彼が倒したロシア皇帝の統治スタイルを模倣していた。プーチンはスターリンの統治を模倣しているから、彼には「ロシア皇帝」のDNAが流れている。ロシア国民の多くもそう思っているだろう。中国やトルコでもあまり事情は変わらない。習近平は紫禁城の玉座に鎮座する中華皇帝のつもりでいるし、エルドアンはオスマン帝国のカリフのつもりでいる。いずれもかつて「帝国」だった国々では、表向きの政体が変わっても、独裁的な指導者が強権をふるうという基本のスタイルに変化はない。彼らはそれぞれの国の「ビッグ・ブラザー」である。

欧米の民主主義国家には今のところ「ビッグ・ブラザー」は見当たらないが、それでも『1984』化は進行している。ただし、それは「ポストモダンの頽落」(ミチコ・カクタニ)という欧米独自の文脈から出てきた現象としてである。

西欧は、世界全体の構造を説明できる「大きな物語」を求めてきた。一神教信仰からニュートン力学まで、それは変わらない。知的な人々はつねに「ランダムに見える現象の背後には数理的な秩序が存在する」という直観に導かれて思考し、体系的な学問を築いてきた。それを「摂理」と呼ぼうが、「絶対精神」と呼ぼうが、「歴史を貫く鉄の法則性」と呼ぼうが、どれも起源から未来まで全歴史を「聖なる天蓋」(ピーター・バーガー)が覆い尽くしていることに変わりはない。人間たちはその天蓋の下で守られているのだが、その代わりそこから外に出ることが許されない。それに逆らうにせよ、その恩沢に浴するにせよ、この宇宙を秩序づけている「聖なる天蓋」、それを精神分析は「父」と呼ぶ。

しかし、ポストモダニストたちは、この「大きな物語」を否定した。「直線的な物語としての歴史」を嗤《わら》うべき民族誌的偏見として、歴史のゴミ箱に放り込んだのである。われわれの眼に客観的現実として見えている世界は、実は主観的バイアスで歪められた世界像に過ぎないというポストモダンの知見はたしかに刺激的だった。ポストモダニストは「自分が見ているものの真正性を懐疑せよ」というきびしい知的緊張を私たちに要求した。

要求そのものは正当なものだったと思う。しかし、人間はあまり長期にわたって知的緊張に耐えることはできない。どこかで忍耐力の限界が来る。ポストモダンの緊張に耐えきれなくなった人たちはやがて雪崩打つように「反知性主義者」の群れをかたちづくることになった。彼らはこんなふうに推論したのである。

（1）人間の行うすべての認識は階級や性差や人種や宗教のバイアスがかかっている（これは正しい）。

（2）人間の知覚から独立して存在する客観的実在などは存在しない（まあ、そうとも言える）。

（3）だから、われわれの抱く世界観はすべて主観的妄想であり、その点で等価である（それは言い過ぎ）。

（4）ゆえに、万人は「客観的実在」のことなど気にかけず、自分のお気に入りの妄想のうちに安らぐ権利がある（これは間違い）。

「ディープ・ステート」とかQアノンとかいう陰謀論が行き交う今の「ポスト・トゥルース の世界」とは（4）のテーゼが支配的になった世界である。80～90年代に大学の授業でデリダとかリオタールとかを読まされて「なんだか難しくてよくわからん」と思っていた連中が、自分たちでもわかるようにポストモダンの哲学をダウングレードしてみせたのが「ポスト・トゥルース」だったのである。

「大きな物語」を否定してしまったら、それから後の時代には、それほど知力のない人間たちは、それぞれの器に合わせて「等身大の小さな物語」にしがみつき、そこで自足することになるかも知れない……というくらいのことは十分に予想できたはずである。ポストモダニストはずいぶんと難しいことを高飛車に語っていたけれども、その程度の悲観的未来を予測できなかったとすれば、あまり深くものを考えない人たちだったということになる。

日本社会も着実にディストピア化しているわけだけれど、日本のディストピアは、中国やロシアのような「帝国」由来のものでもなく、欧米のように「ポストモダン」由来のものでもない。身も蓋もない言い方をすると、日本の『1984』化は、日本人全体が集団的に幼児化したことの帰結である。「ビッグ・ブラザー」が作為をもって制度設計したのではなく、日本では『1984』的社会がいわば自然発生したのである。

幼児は「単純接触」する者に親しみを感じ、現在という狭い時間意識の中に閉じ込められている。過去のことは覚えていないし、未来のことは考えない。これは現代日本人そのものである。問題は、なぜ日本人はここまで幼児化したのかである。原因はやはり戦後の日米関係にあると思う。それについて少しややこしい話をしたい。

日本の権力構造は、邪馬台国のヒメヒコ制から、摂関政治、武家政治を経て戦後の天皇制立憲デモクラシーに至るまで、霊的権威としての天皇と世俗の政治権力という二つの中心を持つ、楕円構造である。そして、この二つの権力構造において、天皇は女性ジェンダー化しており、政治権力者よりもはるかに深いところで人々の心理に絡みついている。だから、日本人は権力関係を「父子関係」としてよりむしろ「母子関係」としてとらえる傾向がある。

安倍政権がその典型だったけれど、彼はおのれとの親疎の距離に基づいて他人を格付けする政治家だった。第一次安倍政権は「お友達内閣」と呼ばれたし、第二次政権では森友・加計・桜に代表されるネポティズムが節度を失って暴走した。つまり、安倍晋三にとって権力関係とは自分に「甘え」てくる人を「甘やかす」、自分にすり寄ってこない人間を「冷遇する」という以上のものではなかったということである。

彼の極右イデオロギーなるものにも家父長的な要素はまったくない。彼はすべてを説明できる大ぶりの「父の物語」などというものに特段の興味はない。彼らがナショナリスト的な言説をまき散らしたのは、政治的信条を語るためというよりは、それを他者との親疎を計るための「踏み絵」として利用するためだった。ふつうの常識人ならまず二の足を踏むような薄っぺらで暴力的な物語を「私は信じます」と自己申告してすり寄ってくる人間を「トモダチ」認定する。踏み絵を踏まない人間には目も向けない。そういう点で言えば、安倍も菅も

「ビッグ・ブラザー」ではなく、分析的には「おばさん」なのだと思う。

母子癒着する日米関係

すべてを親疎だけで計る母子癒着的な権力関係は日米関係にもそのまま当てはまる。白井聡は『国体論　菊と星条旗』（集英社新書）で、日本国家の本質（国体）は「統治者が国民を愛してくれている」という信憑に支えられていると指摘しているが、その通りだと私も思う。戦前の国民は「天皇陛下はその赤子《せきし》たる臣民を愛してくれている」と信じ、戦後の国民は「アメリカ大統領はその属国民たる日本人を愛してくれている」と信じてきた。日本国民のアイデンティティーをその深いところで支えているのは「母に愛されている」という安心感なのである。なんと。

だから、日本がアメリカに求めているものは「父」ではない。家父長的な父、「聖なる天蓋」をかたちづくる「父」ではない。というのは、もし日本がおのれを「子」と見なし、アメリカを「父」に見立てているなら、「父」を真似て、「父」が参加しているゲームに習熟し、いずれ「父」を凌駕《りょうが》するようなしたたかなプレイヤーになろうと努力するはずだからである。しかし、日本は「アメリカからも一目置かれるような大国になる」という努力をある時期から完全に放棄した。それよりは日米関係における「親疎の距離」ばかりを配慮するようになった。アメリカにどれくらい「愛されているのか」、それを知ることが何よりも重要になった。「父」を凌駕することを諦めて、「母」に愛されることを選んだのである。

だから、日米首脳会談についての報道でも、日米の利害が相反する案件で、日本がどれくらい主張したか、どのような「落としどころ」が探られたかという外交にかかわる報道より、首相と大統領がゴルフをしたとか、飯を食ったとか、ファーストネームで呼び合ったとかいう親疎にかかわる情報の方が優先的に配信される。おそらく日本人にとってはアメリカ大統領に日本の国家意思を伝えることよりも、彼に愛されることの方が重要なことがらなのであろう。

以前、朴槿恵《パククネ》韓国大統領が訪米したときに、韓国大統領と日本の首相ではホワイトハウスの歓待ぶりがどう違ったかということがうるさく報道された。「アメリカは日本と韓国のどちらの方を愛しているのか」ということがよほど気になるらしい。日本は韓国と「ワシントンの長女」の座をめぐって姉妹喧嘩でもしているつもりなのだろう。だから、米韓関係がうまくゆかないと聞くと、日本人は嬉々として報道する。

尖閣問題でも、アメリカが「父」ならば、アメリカの西太平洋戦略をまず頭に入れた上で、日本にとって最もリスクが少なく、最も外交的利益の大きな戦略を考えるはずだけれども、実際のところ尖閣について日本人が気にかけているのは「アメリカは日本を守ってくれるのか、それとも見捨てるか」だけである。それは連邦議会が決めることだから、日本人には決定権がない。仮に大統領が「守りますよ」と太鼓判を捺してくれても、「議会が反対して」と言えば、それっきりである。そして、アメリカの議員たちが、東シナ海の岩礁の領有をめぐる対立はアメリカの青年が死ぬほど重要なマターではないと判断する可能性はかなり高い。

仮に中国と尖閣で衝突があり、アメリカが軍事的に即応しなかった場合、日本人はたぶんマスヒステリーを起こすだろう。「アメリカに裏切られた」「見捨てられた」と泣き叫ぶだろう。そして、左右ともに声を合わせて「安保条約即時撤廃・米軍基地即時撤去」を主張するはずである。「愛されていない」と知ると「憎さが百倍」になるのである。

軍事的リスクにどう対応するかというのは、できるだけ非情緒的で計量的な知性が要請される場面であるが、尖閣有事において、米軍が「日本を愛している」ジェスチャーを誇示することを忘れた場合、日本人の多くは「オレたちを見捨てるなら、もうアメリカの愛なんか要らない」という「本音」を口走るはずである。「もうあんたの愛なんか要らない」というのは、アメリカという「母」に対して、戦後日本人が何度も口に出しかけては呑み込んできた言葉である。それは久しく押し殺されてきた「本音」である。だから、抑圧を吹き飛ばして口にされたときには激しいカタルシスをもたらす。多くの日本人は「もうアメリカの愛なんか要らない」というフレーズを叫んで、熱狂するだろう。

アメリカと母子癒着的な関係にあることは、そういう意味でリスクが高いと私は思っている。ふだんはべったり癒着して、唯々諾々《いいだくだく》とその走狗《そうく》として立ち働いているが、何かのはずみに、期待していた「愛の見返り」が満たされないとわかると、いきなり「お前の愛なんかもう要らない」という逆方向に暴走する。

安倍・菅政権の国家戦略は対米従属、それだけである。それが政権維持のために最も有効であり、日本の有権者に最もアピールすることを彼らは知っているからそうしているのである。菅政権はコロナ対策に失敗して、日本は第四波に突入しつつある。しかし、それにもかかわらず菅政権の支持率は40％前後で下げ止まっている。それは日本国民が「菅首相はアメリカに愛されている」と信じているからである。

アメリカはただ「日本の国益よりアメリカの国益を優先的に配慮してくれる政治家」が日本のトップにいると好都合だから「菅でいい」と思っているだけである。それはアメリカの側のリアルでクールな算盤勘定に基づくふるまいに過ぎないのだが、日本人はそれを「菅はアメリカに愛されている」というふうに読み換えるのである。

野党の支持率はさっぱり上がる気配がない。どう考えても政権与党より国民の利益にかなう政策を掲げているにもかかわらず、国民は野党を支持しない。それは野党が「アメリカにあまり愛されていない」と思っているからである。よく訳知り顔の政論家が、「野党はもっとリアリストになるべきだ」という批判を野党に対して向けるけれど、あれには「お前たち、そんなことを言っているとアメリカに愛してもらえないぞ」という以上の意味はない。彼らの言う「リアリズム」とは「アメリカに愛されること」なのである。

「アメリカに愛されること」を最優先の綱領に掲げない限り、野党は決して政権を取ることができないという見通しについては、これらの「リアリスト」はおおむね正しい。けれども、母子の「子」の地位にとどまり続けることが「リアリズム」だと信じているのは幼児固有の発想である。それをよしとしている限り、そのような人々が対米関係で「成人」として扱われる日は永遠に来ない。

ではなぜ日本人はアメリカとの関係を「父子関係」ではなく、「母子関係」に擬すことにしたのか。私の答えは「その方が知的負荷が少ないからである」というものである。あまり頭を使いたくないということである。「父」は子どもに「成熟」を要求するが、「母」は要求しない。「父」の抑圧的な指導に服従すべきか反抗すべきか、その葛藤の中で子どもは成熟するけれど、「母」は子どもにそんなしち面倒なことは求めない。「母」が子どもに求めるのは一方的な甘えと懐《なつ》きだけである。少なくとも、子どもはそう考えている。

日本の場合は、戦前は天皇という「母」に甘え、懐き、戦後はアメリカ大統領という「母」に甘え、懐いている。「母」との間にそういう情緒的なつながりがあると思うと、日本人はほっとするのだ。そして、その安堵感が日本人の市民的成熟を妨げている。

日本の対米従属の特殊性もここにある。ふつう強国に従属するというのは、繰り返し収奪されて、屈辱感を味わう経験のことである。現に、日本は日米地位協定という不平等条約をおしつけられ、国富を収奪され、首都の上空を外国機が飛び交い、在日米軍は事実上の治外

文藝春秋の新刊

10

2021

「月光」©大高郁子

●心臓外科医に託された少年の命。この医師は神か、悪魔か――

ミカエルの鼓動

柚月裕子

手術支援ロボットを推進する心臓外科医とドイツ帰りの天才医師。難病の少年の治療方針をめぐり二人は対立。命の意味を問う感動巨編

◆10月7日
四六判
上製カバー装
1870円
391442-8

●理想と現実のはざまで青年は成長する

舞風のごとく

あさのあつこ

大火に見舞われた城下。執政会議は前例主義に陥り、民の救済は遅々として進まない。筆頭家老の息子・樫井透馬は独自に動き始めるが

◆10月8日
四六判
並製カバー装
1925円
391434-3

●累計70万部! 人気シリーズ最新刊

月夜の羊

紅雲町珈琲屋こよみ

吉永南央

和食器とコーヒー豆の店「小蔵屋」を営むお草が拾った「たすけて」と書かれたメモ。助けを求めているのは、誰? シリーズ第9弾

◆10月8日
四六判
並製カバー装
1760円
391443-5

●コロナ禍で悩む、すべての親に

勉強する子になる100の習慣

息子3人、娘1人を東大医学部に合格させた佐藤ママが説く「自分のアタマで考える子」に共通する育て方とは

◆10月11日
四六判
並製カバー装
1650円
391444-2

◆発売日、定価は変更になる場合があります。
表示した価格は定価です。消費税は含まれています。

バイトのネズミダくん

〔…〕の歯磨き　猫カ〔…〕で給仕　ゾウの背中洗い……頑張り屋さんなアルバイター・ネズミダくんのお仕事4コマ漫画！

◆10月21日
A5判
並製カバー装
1210円
391457-2

キューライス
●「生きている気」がしなくなる国で――

コロナ後の世界

内田 樹

カミュ『ペスト』に描かれた大人の市民像から、国民を無気力化する政治まで――社会の病毒をえぐり、再生への道筋を示す真の処方箋！

◆10月20日
四六判
並製カバー装
1650円
391458-9

●経済メディアNewsPicks創刊編集長による「起業の教科書」決定版！

起業のすすめ　さよなら、サラリーマン

佐々木紀彦

会社に頼れない今後、日本でも起業が一般化する。資金集め・仲間選び・顧客開拓・DX対策・事業継続……全ノウハウ公開

◆10月26日
四六判
並製カバー装
1650円
391459-6

●優子ちゃんは、あたしがお母さんでよかった？

そして、バトンは渡された

原作・瀬尾まいこ　漫画・田川とまた

様々な親の間を「バトン」のように渡り歩く少女・優子の成長を描いた、ベストセラー小説を漫画化

◆10月19日
A5判
並製カバー装
990円
090110-0

●文春が「なろう系」のコミカライズを！

俺、勇者じゃないですから。1　VR世界の頂点に君臨せし男。転生し、レベル1の無職からリスタートする

原作・心音ゆるり　漫画・伊咲ウタ

投稿サイト「小説家になろう」で7300０ポイントを獲得している人気作のコミカライズ！

◆10月27日
B6判
並製カバー装
858円
090111-7

晴明と博雅、儚いこの世を楽しまん！
陰陽師 女蛇ノ巻
夢枕 獏
748円
791759-3

光國と異能の子どもたちが江戸を駆ける！
剣樹抄
冲方 丁
858円
791760-9

隠れ切支丹の島で出会うのは――!?
剣と十字架
空也十番勝負（三）決定版
佐伯泰英
814円
791761-6

事故で死んだはずの、あの子が生き返ったの……?

切なく美しい、常夜の国のビブリオファンタジー
三途の川のおらんだ書房
転生する死者とあやかしの恋
野村美月
792円
791767-8

名手がフェアプレイ精神で贈る三つの殺人
ドッペルゲンガーの銃
倉知 淳
1023円
791768-5

城山三郎の処女作にして原点、復刊！
創意に生きる
中京財界史〈新装版〉
城山三郎
902円
791770-8

人生に残念はつきものである
ざんねんな食べ物事典
715円
791771-5

法権を享受している。だが、政治家や官僚や文化人たちを見ていると、そのことに特に屈辱感を感じているようには見えない。それは彼らがこのようなアメリカの専横を「強者に服従・隷属している関係」ではなく、「保護者に甘え、懐いている関係」だとみなしているからである。

軍事的征服者を「自分を愛してくれる母」だと錯認するというのは狂気の沙汰としか言いようがない。しかし、日本人が狂気を患ったのは、それだけ敗戦の経験が決定的だったからだと私は思う。日本はあまりに負け過ぎたのである。

かつての敵国に対しても、かつての植民地人民や被占領国民に対しても、そして、自国民に対してさえ「どうして負けたのか」を論理的に説明する言葉を大日本帝国の戦争指導部の誰一人として思いつかなかった。

東京裁判で、A級戦犯たちは口々に「自分は個人的にはこの戦争に反対であった」と弁疏《べんそ》した。しかし、「反対できる空気ではなかった」と。さきの大戦で多くの国が敗戦国になったけれども、戦争指導部の人々が口々に「どうして戦争を始めたのか、わからない」、だから、「誰が責任をとるべきか、わからない」と公言した国はおそらく日本以外にはあるまい。

日本は負け過ぎた。ドイツもひどい負け方をしたが、それでもドイツの政治家や軍人によるヒトラー暗殺計画は何度も試みられたし、水面下での連合軍との講和交渉も企てられた。イタリア王国は43年9月にはムッソリーニに代わったバドリオ元帥が連合国と講和し、以後は連合国側としてドイツと戦った。フランスは枢軸国の一員として、ドイツのヨーロッパ支配に加担したが、シャルル・ド・ゴール将軍が率いた自由フランスが連合国側で戦ったことで、戦勝国のような顔をして終戦を迎えた。

ドイツ、イタリア、フランスと比べたときに、日本の負け方は常軌を逸している。指導層の中に戦争指導部に抵抗し得るほどの勢力が存在せず、敗色濃厚となった以上は講和しかないと腹を括る覚悟もなく、亡命政府を作っておいて敗戦後に備える知恵もなかった。だから、敗戦後の日本人はおのれの手で国を再建することができなかった。占領軍が書いたシナリオ通りにするしかなかった。幼児性とは無力性・受動性のことである。幼児は自分の力では何もできない。そもそも、自分の意志に基づかずに、この世に無理やり「生み落とされた」という原事実が幼児の性格を決定づけている。

戦後日本はまさに完全に無力な状態で、アメリカから無理やり「生み落とされる」というトラウマ的経験から始まった。そして、日本はアメリカの許諾を得られた範囲内でしか成長することが許されないという制約を受け入れた。かつては、それでは主権国家ではないと切《せっ》歯《し》扼《やく》腕《わん》する人たちがいた。大日本帝国臣民として生まれ育った人たちは、その政策がどれほど愚劣なものであれ、国益を害するものであれ、外国の許諾を得ることなしに政策を自己決定できる国家の国民であった時代を記憶していた。だから、彼らが生きている間は、対米自立の企ても多少は試みられた。それは彼らが「主権国家の国民とはどういうものか」について帰趨《きすう》的に参照できる原点を持っていたからである。

けれども、私たち戦後生まれの日本人は「生まれてからずっと属国民」である。外国の軍隊が国土を占領している国、外国の「飛び地」が首都のど真ん中にある国、外国の軍人が事実上治外法権である国を「ふつう」だと思って育ってきた。だから、よほど想像力を発揮しないと、「それがふつうではない」ということに思い至らない。戦後日本人は、私たちを産み落とした「母なるアメリカ」に甘え、「母」に愛されていると確認することだけが、国家としてのアイデンティティーを基礎づけているという倒錯をもう「倒錯」だとは思わなくなっているのである。

この無主権状態から、日本人はどうやって離脱することができるのだろうか？　はっきり言って不可能だと私は思っている。なぜなら、今の日本人は国家主権を回復することをもう夢見てさえいないからである。アメリカの属国身分からどうやって離脱するのか、その困難な国家的事業を果たすことを自分の仕事だと思っている人間は、今の日本政府の中にはいない。彼らが配慮しているのは、「母」に認知され、愛され、その特権を足場にして、日本国内のヒエラルキーを上り詰めることだけなのである。

（2021年4月27日）

Ⅲ　反知性主義と時間

日本のイディオクラシー

ローマ時代の法諺《ほうげん》に「事実の不知は弁疏となるが、法の不知は弁疏とならず」というものがある。ある事実を知らなかったというのは罪を逃れる言い訳になるが、その行為を罰する法律があることを知らずにその行為をなしたものは罪を逃れることができないという意味である。

国会での大臣や役人たちの答弁を聴いていると、彼らがこの法諺を熟知していることがわかる。国民に疑念を抱かせるような行為について「あった」と言えば、責任を取らなければならない。「なかった」と言えば、後から「あった」という事実が判明すると虚偽答弁になる。そこで、窮余の一策として彼らが採択したのが「国民に疑念を抱かせるような行為があったかなかったかについての記憶がない」という「事実の不知」による弁疏であった。事実の不知については、これを処罰することができないから遁辞《とんじ》としては有効である。

けれども、政治家や官僚がかかる弁疏を繰り返した場合には「重大な事実について頻繁に記憶が欠如するような人間が果たして国政の要路にあってよろしいのか？」という懸念が生じることは避けがたい。その懸念をどうやって解消するか？

この懸念を退けるロジックは一つしかない。それは知的に不調であることは政治家や官僚の職務遂行上の欠格条件ではないというルールを政府が改めて公認することである。

いや、改めて公認するまでもなく、わが国はだいぶ前からこの新ルールを採用していた。記憶がしばしば欠損する、論理的にものを考えられない、事前に告知された質問にしか回答できない、不都合な質問についてはつねに回答を差し控える……といった知的無能は今では公人である上での特段の支障とは見なされていない。それどころか、おのれの立場を危うくしかねない質問には一切回答しないで正面突破するというふるまいそのものが「権力」及び「権力に対する忠誠心」の記号として高く評価されさえする。

知的無能が指導者の資質として肯定的に評価されるような統治システムのことを「イディオクラシー（idiocracy）」と呼ぶ。「愚者支配」である。デモクラシーが過激化したときに出現する変異種である。

フランスの青年貴族トクヴィルは２００年前に、アンドリュー・ジャクソン米大統領に面会した後、その印象をこう記している。「ジャクソン将軍は、アメリカの人々が統領としていただくべく二度えらんだ人物であるが、その性格は粗暴で、能力は中程度である。彼の全経歴に、自由な人民を治めるために必要な資質を証明するものは何もない。」（『アメリカにおけるデモクラシーについて』岩永健吉郎訳『世界の名著　33』所収、中央公論社、１９７０年、５０５頁）

アメリカ人はしばしば指導者の選択を誤る。それは知性においても徳性においても、自分たちと同程度の人間を指導者に選ぼうとするからであるとトクヴィルは考えた。同類なのだから、国民の利害と指導者の利害は一致する。もし、知性も徳性も国民をはるかに超えたリーダーを選んでしまうと、彼が「これが国益を最大化する道だ」と信じて断行した場合に、国民はそれに反対でも、止めることができない。力のあるリーダーは民意に反した政治ができる。それを止めるためには凡庸だけれど、人民と利害を共有するリーダーを選ぶ方がいい。凡庸な統治者は人民と対立してまで貫き通したいような政治的信念を持っていないし、それを貫く実力もないからである。「もし民衆と利害が相反したら、支配者の徳はほとんど用がなく、才能は有害になろう」（同書、457頁）そうトクヴィルは論じた。

一つの見識ではある。

翻って、今の日本はどうだろうか。今の日本では統治者と民衆の利害は一致しているとみるべきか、一致していないと見るべきか。

今の日本では、統治者と民衆の利害はかなりずれてきている。統治者が「どうすれば国力を向上させ、国民の健康や安全や豊かさを実現できるのか」を考えることをおのれの本務だと思わなくなってきているからである。

彼らにとって最優先するのはおのれの権力・利権の維持である。そのためには国民の支持が必要なのだが、でも、「どういう政策を採ることが公共の福祉に資し、多数の国民の支持を集めることができるのか」がわからない。これは論理の問題ではなく、もっぱら知性の問題である。どうしていいかわからないので、とりあえず「公共の福祉」は脇に措いて、「身内の福祉」を配慮することにした。国民全体の利害を図る方法を思いつかないので、とりあえず自分の周りにいる人間の利害だけを図ることにしたのである。

これが「イディオクラシー」である。統治者も民衆も、知性においても徳性においても、特にすぐれているわけではないし、そうである必要もないという点ではデモクラシーとよく似ているが、指導者が国民全体の利害を配慮する努力を放棄したという点が新しい。

何より驚くべきは、国民全体の利害を配慮することを止めた統治者を少なからぬ国民が支持しているということである。

民衆がイディオクラシーを支持する最大の理由は、イディオクラシーは仕組みがとてもシンプルであって、知的負荷がかからないからである。

指導者は国民全体の利害には配慮せず、おのれの「取り巻き」の利害を優先的に配慮する。だから、権力者の「取り巻き」になれば、自分一個の私的利益はすぐに実現し、私人でありながら、権力の恩沢に豊かに浴することができる。権力者の「取り巻き」になれば、「みなし公人」として遇され、私人でありながら、その事業には公金が投じられ、公的支援が集中する。

「桜を見る会」の招待基準を訊かれて、当時官房長官だった菅首相は、「各界で功績のあった人を幅広く招待している」と説明した。「各界で功績のあった人」の中には後援会の会員や安倍支持を公言する言論人や芸能人たちが大量に含まれていた。このときに、「権力者に近い人間＝公人＝公的な支援を受ける資格のある人間」という「公人」についての新基準が確定した。

かつては「国民的利害」というものが独立した概念として存在した。今はもう政治家はそのようなもののことは考えなくなった。「国民的な利害」というような複雑で、スケールの大きなものを構想する知力が政治家の側になくなってしまったのである。それよりは「取り巻き」たち、縁故者たち、支持者たちの私的利害を「公益」とみなすようにした方が話が簡単だ。

「国が滅びても、自分の私腹が肥えるなら別に困らない」という人たちの数がもう少し増えて、過半を超えた頃に日本のイディオクラシーはその完成を見るだろう。これは『１９８４』的ディストピアとはまったく別種のディストピアである。

（２０２１年４月21日）

酔生夢死の国で

これは佐藤学・上野千鶴子両氏と私の共同編集の『学問の自由が危ない　日本学術会議問題の深層』（晶文社、２０２１年）に寄稿したものである。

政治と学術では「理非の基準」が違う

本書に寄稿してくださった方たちはおそらく全員が「学者」という属性に基づいて発言されていると思うが、私は少し違う視点からこの問題をとらえたいと思う。

今回の日本学術会議新会員任命拒否については、もちろん私は全力を挙げて政府の違法と憲法違反を咎め、学術共同体の独立性と威信を守るために戦うつもりでいるが、それは何よりも一人の日本国民として国の未来に強い危機感を覚えるからである。今回の暴挙は必ずやわが国の学術的発信力の劣化を帰結する。ただでさえ衰運の途上にあるわが国の国際的競争力をこれ以上引き下げてどうするつもりなのか。その怒りが私を衝き動かしている。

日本政府がアカデミー入会資格について介入したことについて世界の学術共同体は深い憂

慮を示している。それは単に日本政府の見識の低さへの評価にはとどまらない。このまま政治介入を私たちが座視していた場合、日本の学者知識人、ひろく表現者全体がその知的な誠実さについて懐疑のまなざしを向けられることになる。それが長期的にどれほどの国益逸失に当たるか、官邸は考えているのだろうか。

すでに今もCOVID-19に関するデータを世界の研究者に対して公開していないことで日本政府は世界の学術共同体から批判にさらされている。アメリカのCDCはデータを公開して、世界の研究者たちの「集団的な知」の結集を求めている。危機に際して衆知を集めて対応するというのは、パンデミック対策としては当然のことである。だが、日本政府はデータの公開を渋っている。公開すると政府のパンデミック対策の成否の評価が可能になるからである。データが出されなければ「政府の対策はすべて成功だった」とのちに総括しても、誰にも反証ができない。

私の友人の感染症の専門家は日本政府の態度をこう評している。

「現在の日本政府にとっては、データを公開することで『日本全体と世界から得られる集団的な知』を活用することよりも、『日本政府の無謬性の主張』を（客観性に欠けるものであれ）擁護することの方が、優先順位が高い」（俞炳匡、「台風とコロナ・パンデミックは同じか？」、『ポストコロナ期を生きるきみたちへ』、晶文社、２０２０年、１５５頁）

政治と学術の違いはここに集約的に表現されていると思う。政治は無謬であることに過剰に高い価値を付与するが、学術はそうではないし、そうであってはならない。
「知識は無から――白紙の状態《タブラ・ラサ》から――出発するのでもなければ、観察から出発するのでもない。知識の進歩というものは、主として、それ以前の知識の修正によって成り立つ。」（カール・ポパー、『推測と反駁』、藤本隆志他訳、法政大学出版局、１９８０年、49頁）

学術においては、人々は「正解」を積み重ねて先に進むのではなく、「誤答」を修正しながら先へ進む。学知は無謬をめざさない。自説の修正のあらゆる可能性に対して開かれてあること、それが「科学的」ということである。このポパーの「科学」の定義に私は同意の一票を投じる。

その政治的言動の瑕疵を指摘されたときに、不利な証拠を隠蔽したり、データを改竄したり、「その指摘は当たらない」と言い抜ける能力を持つ政治家はそうでない政治家よりも生き延びるチャンスが多い（少なくとも日本ではそうだ）。だが、反証事例を示されても、あれこれと言い逃れたり、不利な証拠を隠蔽したり、データを改竄したりして、自説の無謬性に固執する学者は学術の世界からは永久放逐される。政治と学術ではものごとの理非の基準が違う。まずそのことを認めないと話が始まらない。

今回の日本学術会議の新会員任命拒否問題は、政治と学術の理非の基準の違いを改めて前景化した。政治と学術はゼロサムの関係にあるわけではない。棲《す》んでいるニッチが違う。だから、政治と学術がお互いに不干渉であることが現実的には望みうる比較的「ましな」関係だろうと私は思っている。そして、その点についてはこれまで政治家にも学者にも、暗黙の了解があった。だからこそ、久しく政府は日本学術会議に公的支援をしながらも、その独立性を保証してきたし、学術会議もその提言が政府の容れるところとならない場合でもその不作為をはげしく批判するというようなことをしないで来た。

政治と学術はもとから「食い合わせが悪い」。だから、礼儀正しい距離感を保つくらいのところが「いいさじ加減」だということは、これまでは政治家も学者もわかっていたと思う。その相互不干渉の黙契を安倍・菅政権は破った。それはなぜか。

政府が「相互不干渉」のルールを破った理由

政府が日本学術会議の人事に干渉するようになった理由の一つは学術会議が「戦争を目的とする科学の研究は絶対にこれを行わない」ことを声明したためである。そして官邸はこれを「政治への干渉」にあたると解した。つまり、「相互不干渉のルール」を先に破ったのは学術会議の方である、だから報復した。たぶん官邸はそういうふうに今回の一連の出来事を正当化していると思う。
出身校に偏りがあるとか、若い学者や女性の任命が少ないとか、組織運営が民主的でないからというようなのは後からとってつけた言い訳であって、そんな理由で任命拒否を正当化できるとは彼らだって思っていない（そもそも今の政府は多様性にも女性登用にも組織の民主的運営にもほとんど何の関心がないことは誰でも知っている）。にもかかわらず、彼らがこの任命拒否を主観的には合理化できると信じているのは、学者たちが「矩《のり》を踰《こ》えた」と彼らが信じたからである。これまでと同じことをしたら「矩を踰えた」と判定されたということは、「矩」の方が動いたからである。これまで「フェア」だったものが「ファウル」に判定されたのは、ファウルラインが動いたからである。では、彼らは何を動かしたのか。

1949年に創建された日本学術会議は翌年に「戦争を目的とする科学の研究は絶対にこれを行わない」旨の声明を発した。1967年にも「軍事目的のための科学研究を行わない声明」を発した。2017年にはこの二つの声明を「継承」することを改めて明らかにした。それは2013年の特定秘密保護法、2015年の安保関連法、2017年の共謀罪法など矢継ぎ早の採択によって再び学術と軍事が接近しつつあるという不安を学術会議の側が感知したからである。だからこそ、軍事にかかわる研究が「学問の自由及び学術の健全な発展と緊張関係にあることをここに確認」（強調は内田）して過去の声明の継承を誓言したのである。

しかし、安倍・菅両政権は軍事研究に対する抑制を学者たちが口にすることを「越権行為」だとみなした。軍事研究をするかしないか決めるのは政府の専管事項であって、学者風情の与《あずか》り知るところではない、と。

政府がどういう長期的な安全保障戦略があって軍事研究に「前のめり」になっているのか私にはよくわからない。「戦略」と呼べるほどのものは持っていないと思う。そのようなものを構想できるだけのスケールの大きな知性は今の政府内部には見当たらないからである。過去8年、能力ではなく権力者への忠誠度に基づいて人事を行い、イエスマンだけを選択的に登用してきた政府にはもはや見るべき人材がいない。それは前政権からの外交の拙劣を見れば知れる。

日本の安全保障上の急務は、誰が考えても、隣国との緊張関係の緩和だが、それについては見るべき成果は何一つあげていない。仮にここで日本が軍事研究にリソースを集中する政策を高らかに掲げても、それによって安全保障環境が改善するということはあり得ない。隣国はいずれも日本に対する警戒心を強め、自国の軍事力を高め、より非妥協的な対日外交を採り、国内の反日世論を煽ることで日本を牽制するだろう。それをどうして「抑止力の向上」の成果だと信じられるのか私には理解できない。

軍事研究に多額の予算を投じれば、国際社会は日本が「戦争も辞さない国」だと見直して敬意をもって遇し、隣国からは恐怖のまなざしを向けられるのではないかというのはある種の人々にとっては心温まるファンタジーであろう。だが、それには現実的根拠がない。戦後75年間日本がついにテロの対象にならず、世界で最も安全である国と評価される最大の理由は、日本の「軍人」がこの75年間他国で一人も人を殺したことがないという事実に存する。同胞が「日本軍」に殺されたことを恨み、報復を決意している人はこの75年間、日ごとに減りつつあり、新規の備給は途絶えている。

その事実を見ないで、日本は戦力が乏しく、平和憲法に掣肘《せいちゅう》されているがゆえに隣国から侮られており、軍事力の増強と憲法改正だけが威信回復の道だというのは何の現実的根拠もないファンタジーである。そのようなファンタジーを掻き立てることで自民党が長期政権保持に成功しているのは事実であるが、それでもそれが脳内妄想だという事実に変わりはない。

別に私は政治家に向かって「そういうこと」をするのを止めろと言っているわけではない。そんな無体なことは言わない。政治家はファンタジーを梃《てこ》にして人心を動かすのが仕事である。一方、学者は、冷たく「それは幻想だ」と言い放って、そのような政治的幻想がどうして生まれて、どう機能しており、これからどのように現実を変成するのかを見るのが仕事である。役回りが違う。それが「緊張関係」という語に2017年の声明が託したことの実践的な意味だと私は解する。

しかし、いわば学者たちの職業上の常識を確認したに過ぎないこの声明を政府は「政治への干渉」だと解した。学術共同体は相互不干渉の暗黙のルールを破って、政治に干渉したと解した。だから、処罰を与え、「誰がボスであるか」を思い知らせてやろうとしたのである。

政治家が学者を脅して、その意に従わせようとするのは有史以来「よくあること」である。よくあるからこそ「曲学阿世《きょくがくあせい》」の語があり、「焚書坑儒《ふんしょこうじゅ》」の語がある。しかし、戦後日本では政治の学術への介入は比較的抑制的であった。それがいきなり「誰がボスか」とマウンティングをしてきたのである。これは政治家の側のマインドセットにある変化があったと見るのが正しい。

なぜ官邸は政治と学術の緊張関係を維持することを止めて、学術が政治の「下僕」であるべきだというような前近代的なアイディアに取り憑かれ始めたのか。これを単に「頭がおかしいのではないか」と決めつけて話を終わらせたくない。外形的にはどれほど異常な行動でも主観的には必ず合理性があるはずである。その合理性の文脈を見ないと、官邸のこれまでの行動を理解し、次の行動を予測することはできない。では、彼らにとって「学術を下僕とする」ことの主観的には合理的な理由とは何か。

低下し続ける学術的発信力

それを知るためには、少し歴史を遡る必要がある。

私たちが出発すべき足場はわが国の学術的発信力がある時期から急速に低下し続けているという現実にある。これは政府の教育政策の「失敗」だと私たちは考えるが、おそらくそれがボタンの掛け違えなのである。これは教育政策の「成功」なのである。私たちの国の政府はこれまで学術的発信力が低下することをめざしてさまざまな制度改革に取り組んできたのである。

そんなバカな話があるものかと憤る人が多いと思うが、学術的発信力の向上よりもさらに上位の政治的価値があり、今回の任命拒否を含むすべての制度改革はその「上位の政治的価値」に奉仕するためのものであると考えると、見えなかった話が少し見えてくる。

さまざまな国際機関の報告する数値が示すように、わが国の学術的発信力は過去四半世紀ひたすら低下し続けている。それは文科省自身が「我が国の国際的な地位の趨勢は低下していると言わざるをえない」と2018年の科学技術白書で認めている通りである。

国別の学術的発信力の最もシンプルな指標である学術論文刊行数で、日本は久しくアメリカに続いて世界2位を維持していたが、21世紀に入ってから先進国で唯一論文数を減らし、最新データ（2021年）では論文数4位、注目論文数は10位にまで転落した。人口当たり論文数ではすでに主要先進国中最下位の16位。過去の科学技術関連予算の伸び率は2000年を1とした場合、2019年比較で中国が18・6倍、韓国が5・6倍であるのに比して日本はわずか1・3倍（『科学技術指標2021』科学技術・学術政策研究所）。博士課程進学者数は２０００年度を１００とすると２０１９年度は88。よく引かれる数値である学校教育への公的支出の対ＧＤＰ比では先進国中最下位が久しく定位置になっている。

これらすべての指標が日本の学術的生産力の劇的な低下を示している。先進国の中で日本だけが学術的な力においてひたすら衰退傾向にある。となれば、私たちが向き合うべき最初の問いは「なぜここまで力が落ちたのか？」である。第二の問いである「それならばどうすれば研究者たちの知的創成力を再び高めることができるのか？」は私たち学者にとっては喫緊の問いだが、日本政府にとってはそうではない。その事実を受け止めよう。

日本政府は研究者たちの知的創成力を再び高めることに何の関心もない。そのことは、日本人ノーベル賞受賞者たちが、繰り返し「このままではあと20年後30年後にはノーベル賞受賞者は日本からは出なくなる」と警鐘を乱打しても、政府が指一本動かす気配がないことから知れる。

日本における研究活動の拠点はむろん大学である。そして、１９９０年代から、日本政府はさまざまな制度改革を大学に要求してきた。そして、ご案内の通り、91年の設置基準の大綱化から、２００４年の独立行政法人化を経て、２０１４年の学校教育法改定にいたる文字通り無数の制度改革を通じて、日本の大学の学術的発信力はひたすら低下し続けて来た。

論理的に考えることができる人間なら、これらの制度改革はことごとく「失敗したのだ」と総括するだろう。事実、これらの制度改革が要求してきた終わりなき会議や膨大な書類作成のために研究者が疲弊し果て、研究教育に向けるべき時間もエネルギーも失ったということは大学人なら誰でも知っている。この制度改革のために費やされた時間と労力が本来の研究教育に振り向けられていれば、どれほどの学術的アウトカムがもたらされただろう。その虚しく失われた果実のことを思って胸を痛めている大学人は数えきれない。

しかし、教育行政の担当者たちは「制度改革はもういいから、私たちを研究教育に専念させて欲しい」という大学人たちからの訴えを一蹴してきたし、これからも鼻先であしらい続けるだろう。なぜか。「無謬神話」に居着く官僚たちは決して自分たちの失敗を認めないということもあるけれど、それだけではない。政府は過去四半世紀に及ぶ制度改革を実は「成功」として総括しているからである。不条理な話だが、そうなのである。そうでなければ話の筋が通らない。

私たちが「失敗」と見なす今までの教育制度を彼らは「成功」と見なしている。どこかに決定的なボタンの掛け違えがある。そして、今回の任命拒否は、日本政府が過去のすべての試みを「成功」と総括したならば、その必然的なコロラリーなのである。

政府がこれまでめざしてきたのは「日本の学術的発信力の向上」ではなかった。当然そうであるはずだという私たちのイノセントな前提そのものが間違っていたのである。政府は大学にどうして「こんな無意味なこと」をさせるのかという問いの立て方そのものが間違っていたのである。政府がしていることには意味があったのである。

政府がめざしてきたのは、権力と緊張関係を持つ可能性のあるすべての国内的な組織の独立性を奪い、下部組織として支配体制に組み込むということである。彼らにはわが国の学術的発信力の向上より優先する政治目的があり、それを目指し、それにはたしかに成功したのである。たとえ国力が衰微しても、国際社会における知的威信を失っても、それでも達成したい政治的目標が彼らにはあり、それを達成したのである。発想の切り替えが必要だ。教育に関するこれまでの政府による制度改革の目的は日本の学術が国際的に高い評価を得たり、それによって人類の進歩に貢献することではなかった。政府が国力の衰微を代償にしても手に入れようとして、実際に手に入れたのは統治コストの最小化である。

最優先の課題は管理コストの最小化

なぜ統治コストの最小化というようなテクニカルなことが現政府にとって最優先の政治課題になるのか。それを理解するためには、今の日本にはもう国家目標がないという痛苦な事実を受け入れるところから話を始めなければならない。話の流れを調えるためにここでも歴史を少し遡る。

敗戦後、米軍占領下にあった日本には「対米従属を通じての対米自立」以外の戦略がなかった。これを責めることはできない。とりあえずは宗主国アメリカの信頼を獲得し、駐留軍の撤収を果たし、国土と国家主権を回復する。敗戦国として望みうるそれが最大の目標であった。事実、この戦略は奏功して、51年のサンフランシスコ講和条約で形式的に国家主権を回復し、68年には小笠原が、72年には沖縄が返ってきた。「対米従属は引き合う」というのはその時期の日本人の多くにとって経験に裏づけられた確信であった。

その後、高度成長期を迎えて、日本は世界第二の経済大国になる。1989年にマンハッタンのロックフェラー・センターを三菱地所が買い、コロンビア映画をソニーが買ったときが成功の絶頂だった。バブル期の日本人の病的なまでの多幸感の下には、桁外れの金を積めば、アメリカから国家主権を買い戻せるかも知れないという（口に出されぬ）願望があった。それを果たしたら世界史的な偉業である。バブル期のビジネスマンたちの高揚感の裏にはそういう妄想があったと私は思う。

だが、バブルが崩壊して「金で国家主権を買い戻すプラン」ははかなく潰れた。その後に小泉純一郎が登場してきた。彼は政治大国化することで国際社会における評価を高めようとした。小泉政権がアメリカが主導する戦争に積極的にコミットしようとしたのはそのためである。だが、2005年、国連安保理常任理事国として国際社会に立つという野心的なプランはアジア諸国の支持を得られずはかなく潰えた。対米従属している限り、国際社会は日本を自立した政治大国としては認知してくれないという当たり前の事実にそのとき日本人ははじめて気がついたのである（遅すぎる）。

２００９年の政権交代で鳩山政権は代償として差し出すものなしで、アメリカにストレートに国土回復を要求した。これは戦後日本の対米従属戦略そのものの有効性に疑義を呈するものだったから、政官財メディアの「対米従属マシーン」が発動して、たちまち鳩山政権は瓦解した。

そして、最後に登場したのが安倍晋三と菅義偉である。このフェーズの特徴はもう何も国家戦略がないということである。安倍政権は「対米自立」を目標に掲げることそのものを止めた。諦めたというのではない、日本はこれまでも、これからもつねに主権国家であったのだから、改めて主権回復を求める必要がないと言い出したのである。

たしかにすでに対米自立を果たしているのだとすれば、国家主権の回復が国家の目標になるはずがない。米軍基地も日本の国家主権の発動として、米軍に頼んで「無理していてもらっている」のだから、そもそも返還を要求する筋合いではない。北方領土については着々と領土回復交渉は進んでいる。中国でも、北朝鮮でも、韓国でも、隣国とのタフな交渉にはすべて成功している。そういう話に書き換えたのである。

日本はすでに主権国家として自立を果たしており、隣国からは畏れられており、国際社会からは敬意をもって遇されており、世界の指導的立場にすでにあるという話にしてしまえば、もう対米自立とか主権奪還とか国土回復とかいう国家目標はすべて消失する。

日本国憲法前文には、「国際社会において、名誉ある地位を占めたいと思ふ」という希求が書き込まれているが、２０１２年の自民党の改憲草案では、日本は「今や国際社会において重要な地位を占めており」という成果が書き込まれている。すでに重要な地位を占めている国がどうしてさらに「名誉ある地位」を求めて努力する必要があるだろうか。

この８年間、首相と官房長官が何を問われても「問題ない」「適切に行っている」と答えてきたのは、単にその場しのぎの遁辞を弄しているというだけではなく、戦略的にそうしていたのである。システムのどこかに瑕疵があるなら、修正しなくてはならない。問題があるなら、解決しなければならない。でも、システムにいかなる瑕疵もなく、あらゆる問題はすでに解決されているなら、改善努力そのものが必要なくなる。安倍政権下のある時点で、日本政府は国際社会において「名誉ある地位」を占めるための努力を放棄して、深い自己満足のうちに安らぐことに決めたのである。

「今の日本にはもう国家目標がない」と私が言うのはそういう意味である。国際社会で実際にどう評価されるかということに政府も国民ももう関心がない。国民が日本は「国際社会から尊敬され、隣国からは畏怖されている」というメディアが垂れ流す政府発表を信じる（か信じるふりをしている）限り、政権は永遠に安泰である。

国力はひたすら衰微している。ふつうはその責任を為政者がとらなければならないのだが、「国力はひたすら向上している」という嘘を広報メディアが宣布して、多くの国民がそれを服用することで精神の安定を得ている以上、為政者は国力回復の手立てについて頭を悩ます必要はない。

コロナ対策で政府がデータを公開しないという話を先に書いたが、「感染症の抑制のための国際的な集合知の形成に寄与する」ことを政府が拒絶しているのは、感染症を効果的に抑制することよりも、効果的に抑制しているように見えることの方を優先させているからである。

今の日本政府は「国際社会における客観的評価」よりも「国内における内閣支持率」を重視している。これは喩《たと》えて言えば「マーケットを持たない株式会社」のようなものである。ふつう経営判断の適否はマーケットが下す。商品やサービスが市場に好感されなければ、売り上げが下がり、収益が落ち、株価が低迷して、株主総会で糾弾《きゅうだん》されて、経営者は交代させられる。「マーケットは間違えない」という信仰箇条を株式会社ではプレイヤー全員が共有しているからである。しかし、今の日本には政策の適否を判断する「マーケット」に相当するものが存在しない。実際には安倍・菅政権はさまざまな外交内政で失策を重ねて、日本の国力はひたすら下がり続けているのだけれど、その事実は「マーケットの評価」とはみなされていない。というのも、いつの間にか、日本では政策の適否に判断を下すマーケットとは選挙での獲得議席のことだという話になってしまったからである。どんな失策を重ねようと、議席占有率が過半数を超えている限り、それは「マーケットが経営判断を支持した」と解釈される。

さっぱり商品が売れず、株価も下がり続けているのだが、それを気にしない従業員たちの社内人気投票で1位の経営者が経営を続けている会社というものを想像して欲しい。それが今の日本である。この企業の経営者にとって最優先の課題は業績の回復ではない。それはもう諦めている。それより、「業績は回復している」という嘘を従業員たちに信じ込ませることである。そのためには、「それは嘘だ」とにべもなく伝える者を社内に置くわけにはゆかない。

だから、彼らは日本国内の組織をすべて上意下達の組織に改変することにあれほど熱中してきたのである。上位者からの指示に誰一人疑念を呈することなく、トップの指示が遅滞なく末端まで示達され、現場には一切自由裁量権がなく、何か起きれば全員が判断停止して「上位者の指示を仰ぐ」ような仕組み、それが「マーケットを持たない株式会社」の経営者が切望するシステムである。

ここではもういかなる価値を創り出すかは問題にならない。どうやって誰一人トップに逆らわないような仕組みを作り上げるかという管理コストの最小化だけが問題になる。トップとは別の価値観を持ち、別の「ものさし」でものごとの理非や適否を判断する者たち、「異物」や「他者」はこのシステムには存在することが許されない。

過去四半世紀、日本国内で官民一体となって進行させてきたのは「そういうこと」である。そして、まことに残念ながら、「管理コストの最小化は絶対善である」という命題に国民はついに一度も抗弁しなかった。そうだと信じ込んできたのである。組織が何を創り出すかよりも組織がどう効率的に管理されているかの方が優先順位の高い課題だと日本人は信じ込んできたのである。いつから、どうして日本人が集団的にそのような危うい命題を信じるようになったのか、私にはわからない。気がついたらもうそうなっていた。

　事実、大学では研究教育を実際に行うために用いるべきリソースが「研究教育の成果を上げるシステムはどうあるべきかを議論すること」に優先的に分配された。限りあるリソースを「限りあるリソースをどう効率的に分配するか」という議論のために使い果たしてしまったのである。

　日本学術会議の任命拒否は、このような「統治コストの最小化」という国家的目標の必然的な帰結である。だから、任命拒否を支持する自民党議員たちが学術共同体はどのような価値を生み出すべきかという議論をネグレクトして、「日本学術会議はどのような組織であるべきか」という議論ばかりに熱中するのは当然なのである。だから、それを「論点ずらし」と批判するのは当を失している。「ずらす」も何も、それだけしか彼らにとって論点は存在しないのである。日本政府にとっては、ある組織がどのような「よきもの」を生み出すのかということはもはや「どうでもいい」のである。その組織がどのように効率的に上意が下達するように組織されているかという組織マネジメント問題だけにしか彼らは関心がない。これが国民的同意の下に進行している日本社会の全面的な劣化の実相である。

最新の世論調査では、18~29歳の有権者の80%が菅政権を支持しており、首相の日本学術会議新会員の任命拒否についても、18~29歳では「問題だとは思わない」が59%に達していると聞いても、私はもうそれほど驚かない。


冒頭で私は政府が日本学術会議の人事に干渉するに至った最大の理由は、軍事研究の抑制をうたった声明を「政治への干渉」と政府が受け止めたせいだと書いた。これまでの70年間「政治への干渉」だと見なされてこなかった学者たちの行為を、これからは「干渉」と見なすということは「干渉」の定義が変わったということである。これからは、学者たちが政府に対して異論を持ち、それを表明した場合、それはただちに「学術の政治への干渉」とみなされ、処罰の対象となる。政府はそう宣言した。

現在のところ、政府からの処罰は日本学術会議人事への介入にとどまっているが、自民党議員たちの観測気球的発言を徴するならば、いずれ国公立大学教員が政府批判することも認めず、税金の助成を受けている私学の教員にも政府批判の権利がないと言い出す者が出てくるだろう。

ただし、別に彼らは「ファシズム」とか「独裁制」とかいうカラフルな政体をめざしてそうしているわけではない。政治家も官僚もそれほど野心的ではないし、国民の過半もそれほど劇的な政治的変化を求めているわけではない。ただ子どもの頃から刷り込まれ、バイト先や職場でも繰り返し教え込まれた「管理コストの最小化は絶対善である」「何をクリエイトするかよりも、どうマネージするかの方が優先する」という信仰箇条をただ無反省的に繰り返しているだけである。

私たちは今日本学術会議問題によって露出した日本社会の暗部に直面しているわけだけれども、そこに見られたのは、何らかの野心的な政治目的を達成するために計画的になされている事業の一部ではないというのが私の考えである。官邸はただイエスマンで埋め尽くされた社会を作り出したいということしか考えていない。そのような社会を作り出したあとに、それを用いて何を成し遂げたいのかについては何も考えていない。そもそも「成し遂げるべきいかなる国家目標もないほどに日本は成功した」というファンタジーを語り続けたことで自民党政権は安定的な基盤を築いたのである。

日本国民がこの酔生夢死から覚醒する日は来るのだろうか。

（『学問の自由が危ない　日本学術会議問題の深層』所収、晶文社、２０２１年）

反知性主義者たちの肖像

「反知性的」とは何か

『日本の反知性主義』という編著を務めた論集のタイトルはリチャード・ホーフスタッターの名著『アメリカの反知性主義』から借りた。この書物の中で、ホーフスタッターは、アメリカ社会は建国のときから現在に至るまで、知性に対する憎悪という、語られることの少ない情念を伏流させてきており、それは間歇《かんけつ》的に噴出してそのたびに社会に深い対立と暴力を生み出してきたという大胆な知見を語った。

急いで付言しなければならないが、ホーフスタッターはこれを単純な「知識人対大衆」の二元論として語ったわけではない。経験が教えてくれるのは、知識人自身がしばしば最悪の反知性主義者としてふるまうという事実である。ホーフスタッターはこう書いている。

「反知性主義は、思想に対して無条件の敵意をいだく人びとによって創作されたものではない。まったく逆である。教育ある者にとって、もっとも有効な敵は中途半端な教育を受けた者であるのと同様に、指折りの反知性主義者は通常、思想に深くかかわっている人びとであり、それもしばしば、陳腐な思想や認知されない思想にとり憑かれている。反知性主義に陥る危険のない知識人はほとんどいない。一方、ひたむきな知的情熱に欠ける反知識人もほとんどいない。」（リチャード・ホーフスタッター、『アメリカの反知性主義』、田村哲夫訳、みすず書房、2003年、19頁）

この指摘は私たちが日本における反知性主義について考察する場合でも、つねに念頭に置いておかなければならないものである。反知性主義を駆動しているのは、単なる怠惰や無知ではなく、ほとんどの場合「ひたむきな知的情熱」だからである。

この言葉はロラン・バルトが「無知」について述べた卓見を思い出させる。バルトによれば、無知とは知識の欠如ではなく、知識に飽和されているせいで未知のものを受け容れることができなくなった状態を言う。実感としてよくわかる。「自分はそれについてはよく知らない」と涼しく認める人は「自説に固執する」ということがない。他人の言うことをとりあえず黙って聴く。聴いて「得心がいったか」「腑に落ちたか」「気持ちが片づいたか」どうかを自分の内側をみつめて判断する。そのような身体反応を以てさしあたり理非の判断に代えることができる人を私は「知性的な人」だとみなすことにしている。その人においては知性が活発に機能しているように私には思われる。そのような人たちは単に新たな知識や情報を加算しているのではなく、自分の知的な枠組みそのものをそのつど作り替えているからである。知性とはそういう知の自己刷新のことを言うのだろうと私は思っている。個人的な定義だが、しばらくこの仮説に基づいて話を進めたい。

「反知性主義」という言葉からはその逆のものを想像すればよい。反知性主義者たちはしばしば恐ろしいほどに物知りである。一つのトピックについて、手持ちの合切袋《がっさいぶくろ》から、自説を基礎づけるデータやエビデンスや統計数値をいくらでも取り出すことができる。けれども、それをいくら聴かされても、私たちの気持ちはあまり晴れることがないし、解放感を覚えることもない。というのは、この人は当該の論件についての正解をすでに知っているからである。正解をすでに知っている以上、彼らはことの理非の判断を他の人間に委ねる気がない。「あなたが同意しようとしまいと、私の語ることの真理性はいささかも揺らがない」というのが反知性主義者の基本的なマナーである。「あなたの同意が得られないようであれば、もう一度勉強して出直してきます」というようなことは残念ながら反知性主義者は決して言ってくれない。彼らは「理非の判断はすでに済んでいる。あなたに代わって私がもう判断を済ませた。だから、あなたが何を考えようと、何を言おうと、それは私の主張の真理性に何の影響も及ぼさない」と私たちに告げる。そして、そのような言葉は確実に「呪い」として機能し始める。というのは、そういうことを耳元でうるさく言われているうちに、こちらの生きる力がしだいに衰弱してくるからである。「あなたが何を考えようと、何をどう判断しようと、それは理非の判定に関与しない」ということは、「あなたには生きている理由がない」と告げているに等しいからである。

私は私をそのような気分にさせる人間のことを「反知性的」と見なすことにしている。

その人自身は自分のことを「知性的」であると思っているかも知れない。たぶん、思っているだろう。知識も豊かだし、自信たっぷりに語るし、反論されても少しも動じない。でも、やはり私は彼を「知性的」とは呼ばない。それは彼が知性を属人的な資質や能力だと思っているからである。だが、私はそれとは違う考え方をする。知性というのは個人においてではなく、集団として発動するものだと私は思っている。知性は「集合的叡智」として働くのでなければ何の意味もない。単独で存立し得るようなものを私は知性と呼ばない。

わかりにくい話になるので、すこしていねいに説明したい。

知性は個人に属するものというより集団的に働くものだと私は考えている。人間は集団として情報を採り入れ、その重要度を衡量《こうりょう》し、その意味するところについて仮説を立て、それにどう対処すべきかについての合意形成を行う。その力動的プロセス全体を活気づけ、駆動させる力の全体を「知性」と呼びたいと私は思うのである。

ある人の話を聴いているうちに、ずっと忘れていた昔のできごとをふと思い出したり、しばらく音信のなかった人に手紙を書きたくなったり、凝《こ》った料理が作りたくなったり、家の掃除がしたくなったり、たまっていたアイロンかけをしたくなったりしたら、それは知性が活性化したことの具体的な徴候である。「それまで思いつかなかったことが不意にしたくなる」というかたちでの影響を周囲にいる他者たちに及ぼす力のことを私は知性と呼びたいと思う。

知性は集団的に発動する。だから、ある個人が知性的であるかどうかは、その人が個人的に所有する知識量や知能指数や演算能力によっては考量できない。そうではなくて、その人がいることによって、その人の発言やふるまいによって、彼の属する集団全体の知的パフォーマンスが、彼がいない場合よりも高まった場合に、事後的にその人は「知性的」な人物だったと判定されるのである。

個人的な知的能力はずいぶん高いようだが、その人がいるせいで周囲から笑いが消え、疑心暗鬼が生じ、勤労意欲が低下し、誰も創意工夫の提案をしなくなるというようなことは現実にはしばしば起こる。きわめて頻繁に起こる。その人が活発にご本人の「知力」を発動しているせいで、彼の所属する集団全体の知的パフォーマンスが下がってしまう場合、私はそういう人を「反知性的」とみなすことにしている。これまでのところ、この基準を適用して人物鑑定を過ったことはない。

ホーフスタッターは反知性主義者の相貌を次のように描き出している。
反知性主義の「スポークスマンは、概して無学でもなければ無教養でもない。むしろ知識人のはしくれ、自称知識人、仲間から除名された知識人、認められない知識人などである。読み書きのできる彼らは、ろくに読み書きのできない人びとを指導し、自分たちが注目する世界の問題について、真剣かつ高邁な目的意識をもっている。」(同書、19頁)
彼らは世界のなりたちを理解したいという強い知的情熱に駆られており、しばしば特定の分野について驚くほど専門的な知識や情報を有している。また、世界をよりよきものにしようという理想主義においてもしばしば人に後れをとることはない(と口では言う)。
けれども、そのような知的情熱や理想主義がしばしば最悪の反知性主義者を生み出すことになるのである。具体的な例を挙げた方がわかりやすいだろう。反ユダヤ主義者がそうだ。

反ユダヤ主義に見られる「陰謀史観」

私はある時期、ヨーロッパにおけるユダヤ教思想と反ユダヤ主義について研究していたことがある。そして、この分野について日本にも膨大な量の「研究」書が存在することに驚嘆した。

日本にはユダヤ人はほとんど居住していない。日本には二つしかシナゴーグ(ユダヤ教会堂）がないが、東京広尾にあるシナゴーグに通っていた在日ユダヤ人は（当時のラビに聴いた限りでは）1980年代末で1000人ほどだった。神戸のシナゴーグに通うユダヤ人はもっと少なかった。それは「日本はユダヤ人とほとんど無関係な国だ」ということを意味している。にもかかわらず、「ユダヤがわかると世界がわかる」とか「ユダヤ人の世界征服の陰謀」といったタイプの反ユダヤ主義的な書物は飽きることなく日本国内で出版され続けている。それらの本を開くと、国際政治も国際経済もメディアもすべてはユダヤ人の国際ネットワークによって操られているという同工異曲の主張が延々と記されている。よくこんなことまで調べたものだ……と驚嘆するほどトリビアルな情報が紹介されている。そのような文章を書いている人たちは、ユダヤ人の世界支配の抑圧的な機構からわれわれを解放しさえすれば、自由で豊かな世界を奪還できると信じているらしい。

これらの書物の書き手は間違いなく知的情熱に駆られており、おそらくは善意の人である。けれども、そこには何か知性の働きをはげしく阻害するものが含まれている。私はそれを「反知性」として咎めるのである。

知性と反知性を隔てるものは対面的状況でなら身体反応を通じて感知可能であると私は上に書いた。二人で顔を向き合わせている状況だったら、「私」の知性が活性化したかどうかを自己点検すれば、それだけで自分の前にいる人が知性的な人かどうかは判定できる。個人的なレベルでの、かつ短期の出会いについては、それで対応できる。けれども、個人が自分の身体をモニターして前にいる人物が知性的であるかないかを判断するにはおのずと限りがある。会ったこともないし、見たこともないし、声を聴いたこともない人々（外国の人たちや、死者たちはたいていそうだ）の思考や行動が知性的であるかどうかを見極めるためには、もう少し射程の広い「ものさし」が要る。知性と反知性を識別するためには、どのような基準を適用すればよいのか。

反ユダヤ主義に見られる「陰謀史観」は反知性主義の典型的なかたちである。私はそれを「反知性」と判定する。なぜそう判定できるのかを説明するために、まずこのような思考枠組みが出現してくる歴史的経緯を見ておきたい。

世の中にはさまざまな理解しがたい事象が存在する。例えば、グローバル経済では関与する変数が多くなり過ぎて、もはやどのような専門家もこれを単純な方程式に還元することができなくなってしまっている。どこか遠い国で起きた通貨の暴落や株価の乱高下や、あるいは天災やパンデミックのせいで、一国の経済活動が致命的な打撃を受けるリスクがある。一国単位でどれほど適切な経済政策を採択していても、その打撃を逃れることはできない。私たちが知っている限りでも、ドルショック、オイルショック、リーマンショックといった「ショック」によってわが国の経済は繰り返し激震に襲われて、長期にわたる低迷を余儀なくされた。「ショック」という言葉が示すように、それはいつ来て、どれほどの被害を、どの領域にもたらすか予測できないかたちで到来した。私たちがそれらの経験から学んだのは、経済についての専門知は、「想定内の出来事」だけしか起きないときにはそれなりに有用だが、「想定外の出来事」についてはほとんど役に立たないということであった。

この無力感・無能感から陰謀史観は生まれる。陰謀史観というのは、どこかにすべてをコントロールしている「張本人（author）」がいるという仮説である。一見すると、まったく支離滅裂に、いかなる法則性にも従わずランダムに、まさに「想定外」のしかたで生起しているように見えるもろもろの事象の背後には、他者の苦しみから専一的に受益している陰謀集団が存在する。そういう物語への固着のことを陰謀史観と呼ぶ。

陰謀史観は人類史と同じだけ古いが、近代の陰謀史観は18世紀末のフランス革命を以て嚆矢《こうし》とする。革命が勃発したとき、それまで長期にわたって権力と財貨と文化資本を独占してきた特権階級の人々はほとんど一夜にしてすべてを失った。ロンドンに亡命したかつての特権階級の人々は日々サロンに集まっては自分たちの身にいったい何が起きたのかを論じ合った。けれども、自分たちがそこから受益していた政体が、自分たちがぼんやりと手をつかねているうちに回復不能にまで劣化し、ついに自壊に至ったという解釈は採らなかった。彼らはもっとシンプルに考えた。

これだけ大規模な政治的変動という単一の「出力」があった以上、それだけの事業を成し遂げることのできる単一の「入力」があったはずだ。自分たちは多くのものを失った。だとすれば、自分たちが失ったものをわがものとして横領した人々がいるはずである。その人々がこの政変を長期にわたってひそかに企んできたのだ。亡命者たちはそう推論した。

だが、革命前のフランス社会には、そのような巨大な事業を果たしうるほどの力を備えた政治集団は存在しなかった。少なくとも政府当局はそのようなリスクの切迫を感知していなかった。しかるに、ある日突然、盤石《ばんじゃく》のものと見えていた統治システムが根底から覆された。恐るべき統率力をもった単一の集団によって事件は計画的に起こされたに違いないのだが、事前にはそのような事業をなし得る政治的主体が存在することさえ知られていなかった。だとすると、そこから導かれる結論は一つしかない。それは一国の政体を一夜にして覆すことができるような巨大な政治的主体が久しくまったく姿を現わさないままに革命工作をしていたという「秘密結社の物語」である。

陰謀史観の本質はこの推論形式に現われている。それは「巨大な政治的主体が誰にも気づかれずに活動している」ということがまず事実として認定され、そのあとに「それは何ものか」という問いが立てられるということである。重要なのは「陰謀集団が存在する」ということであって、それが誰であるかということには副次的な重要性しか与えられない。

事実、ロンドンに亡命した貴族たちは「犯人は誰か？」という問いに熱中した。フリーメーソン、ババリアの啓明結社、聖堂騎士団、プロテスタント、英国の海賊資本、ジャコバン派、ユダヤ人……さまざまな容疑者の名が挙がった。そして、多くの陰謀史観論者は「犯人」の特定を二転三転させた。でも、彼らはそれを少しも恥じなかった。その様子は、適当な容疑者を殺人事件の犯人に仕立て上げて一件落着を急ぐ冤罪《えんざい》常習者の警察官を思わせる。彼らにしてみれば、「この事件の全過程をコントロールしている単一の犯人が存在する」という信憑を強化できるのであれば犯人は誰でもよかったのである。

最終的に19世紀末にエドゥアール・ドリュモンというジャーナリストが登場して、「フランス革命からの100年間で最も大きな利益を享受したのはユダヤ人である。それゆえ、フランス革命を計画実行したのはユダヤ人であると推論して過たない」と書いた。この推論は論理的に間違っている（「風が吹いたので桶屋が儲かったのだから、気象を操作したのは桶屋である」という推論と同型である）。だが、フランス人たちはそんなことは気にしなかった。ドリュモンのその書物『ユダヤ的フランス（*la France juive*）』は19世紀フランス最大のベストセラーになり、多くの読者がその物語を受け容れ、著者宛てに熱狂的なファンレターを書き送った。その多くは「一読して胸のつかえが消えました」「頭のなかのもやもやが一挙に晴れました」「これまでわからなかったすべてのことが腑に落ちました」という感謝の言葉を書き連ねたものだった。読者たちはどうやらこの物語に身体の深いところで納得してしまったようである。

やがて、ドリュモンのこの物語は、同時期にロシアの秘密警察が捏造した偽書『シオン賢者の議定書《プロトコル》』とともに全世界に広がり、半世紀後に「ホロコースト」として物質化することになった。フランス革命とユダヤ人を結びつけた陰謀史観の物語はおそらく人類史上最悪の

「反知性主義」の事例としてよいだろう。

600万人のユダヤ人の死に帰結したこの物語の最初のきっかけがはげしい「知的渇望」だったということを私たちは忘れるべきではない。そして、この書物を迎えた読者たちの支配的な反応が「長年の疑問が一挙に氷解しました。ありがとう」という大きな解放感と感謝の気持ちだったことも。

知性の発動と「時間」

歴史的変動（ドリュモンの場合は、産業革命以後のフランスの急速な近代化・都市化・産業化趨勢であった）に遭遇した人々が「どうして『こんなこと』が起きたのか」を知りたがるのは人間知性の自然である。知性の健全さのあかしであると言ってもよい。しかし、その知的渇望はどこかで有害な反知性に転じた。さて、どこで転じたのか。

いささか無礼な言い方になるが、それは一言で言えば、彼らが自分程度の知力でも理解できる説明を切望したからである。

実際に、フランス革命は単一の「張本人」のしわざに帰すことのできるような単純なものではなかった。統治システムの経年劣化、資本主義の発達に伴う生産や流通構造の変化、科学技術の進化、近代市民社会理論の登場、英雄的革命家の出現など無数のファクターが革命の勃発には関与しており、そのどれか一つが欠けていても、革命は別の軌跡を辿り、別の政治的事象となっただろう。だから、「どうして革命が起きたのか?」という問いに対して、一言で答えることは不可能なのである。強いて言えば、「いろいろな原因の複合的効果によって」というのが最も正直な回答なのであろうが、そのようなあいまいな説明を嫌って、人々は「ずばり一言で答えること」を求めた。

そして、これもまた知的渇望の一つのかたちなのである。同一の現象について複数の説明がある場合、人は最もシンプルな説明を選好する。これもまた知性の働きである。たしかに、一見複雑怪奇に見える現象の背後には、美しいほど単純な数理的法則が存在するという直感こそは、科学的知性を起動させる当のものだからである。

あらゆる自然科学は、一見ランダムに生起しているかに見える自然現象の背後に数理的な法則性が走っていることを直感した科学者たちによって切り拓かれてきた。その科学的知性の原形は、自然を前にしてじっと観察している子どものうちに見ることができる。

子どもたちを自然の中に放置すると、しばらくしてそれぞれの興味に従って「観察するもの」を選び出す。あるものは昆虫を眺め、あるものは花を眺め、あるものは空の雲を眺め、あるものは海岸に寄せる波を眺める。そうしているうちに、子どもたちがふっと観察対象の中にのめり込む瞬間が訪れる。それは彼らの様子を横で見ているとわかる。いったいどういう場合に「のめり込む」のか。それは「パターンを発見したとき」である。虫の動きのうちにある法則性があることを直感したとき、花弁のかたちにある図形が反復することを直感したとき、岸辺に寄せる波の大きさに一定のパターンがあることを直感したとき、子どもたちは彼らなりのささやかな「予想」を立てる。もし自分の仮説が正しければ、次は「こういうこと」が起きるはずだと考える。そして自分の「予想」の通りの「イベント」が起きるかどうか息を詰めて見守る。そのとき、子どもたちは自然の中に一歩踏み込み、自然と融合している。それは、はたで見ていても感動的な光景である。そのとき、私たちは彼らのうちで科学的知性が起動した瞬間に立ち合っているからである。

このような「対象へののめり込み」は「ずばり一言で言えば」というシンプルな説明を求める知的渇望とは似て非なるものである。どちらもランダムな事象の背後に存在する数理的秩序を希求している点では変わらない。でも、一点だけ決定的に違うところがある。それは先駆的直感には時間が関与していることである。

自分がある法則を先駆的に把持《はじ》していることはわかるけれどそれをまだ言葉にできないときの身もだえするような前ののめりの構えにおいて、時間は重大なプレイヤーである。「まだわからないけれど、そのうちわかる」という予見が維持できるのは、時間の経過とともにその予見の輪郭や手触りがしだいにたしかなものに変じてゆくからである。「熟す」という言い方をしてもいい。青い果実が時間とともにしだいに果肉を増し、赤く変色し、ずしりと持ち重りのする熟果になるプロセスにそれは似ている。

フェルマー予測は証明までに３６０年がかかった。一人の人間の寿命どころか、一つの王朝の興亡に匹敵する時間である。その予測が維持されたのは、時間の経過とともに予測の証明に「近づいている」という実感を世代を超えた数学者たちが共有したからである。

「私が見ているものの背後には美しい秩序、驚くほど単純な法則性が存在するのではないか」という直感はある種の「ふるえ」のような感動を人間にもたらす。その「ふるえ」はその秩序や法則を発見した「個人」が名声を得たり、学的高位に列されたり、世俗的利益を得たりすることを期待しての「ふるえ」とは違う。「誰にでもすぐにその価値や意味が理解されそうな発見」はたぶんそれほどの感動をもたらさない（経験したことがないから想像だが）。ノーベル賞級の発見をしたのだが、ジャーナルに早く投稿しないと、他の誰かが自分と同じ発見をして、プライオリティも特許も奪われてしまうかも知れないと恐れているときの「ふるえ」は私が話しているものとは違う。他の誰かが自分と同じ発見をしてしまうかも知れないから急ぐという構えそのもののうちに何か本質的に反知性的なものがあるように私には思われる。というのは、自分が直感的に幻視した仮説が「他の誰かによって、すぐに」追尋《ついじん》可能なものであるということが本人にもわかっているなら、実はそれはそれほど直感的ではなかったということだからである。真の直感はもっと大きな時間の流れの中に人を置く。

自分は今これまで誰も気づかなかった「巨大な知の氷山」の一片に触れた。それはあまりに巨大であるために自分ひとりでは、一生をかけても、その全貌を明らかにすることはできない。だから、これから先、自分に続く多くの何世代もの人々との長い協働作業を通じてしか、自分が何を発見したのかさえ明らかにならないだろう。そのような宏大な見通しのうちで、まだ顔も知らない（まだ生まれてもいない）未来の協働研究者たちとのたしかな連帯を感じるときに、人は「ふるえ」を覚えるのだと私は思う。

人が「ふるえる」のは、自分が長い時間の流れの中において、「いるべきときに、いるべきところにいて、なすべきことをなしている」という実感を得たからである。「いるべき」ときも、「いるべき」ところも、「なすべき」わざも、単独では存立しない。それは、死者もまだ生まれぬ人たちをも含む無数の人々たちとの時空を超えた協働という概念抜きには成立しないのである。もう存在しないもの、まだ存在しないものたちとの協働関係というイメージをありありと感知できた人間のうちにおいてのみ、「私以外の誰によっても代替し得ない使命」という概念は受肉する。

自然科学というのはまさにそのようなものである。科学性とは何かということについて深く考究したカール・ポパーはこんな例を挙げている。

無人島に漂着したロビンソン・クルーソーが孤島に研究室を建て、そこで冷徹な観察と分析に基づいて膨大な数の論文の執筆をなしとげたと仮定する。その研究成果は現在の自然科学の知見とぴたりと一致するものであった。さて、クルーソーは「科学者」だと言えるだろうか。ポパーは「言えない」と答える。ロビンソンの科学には科学的方法が欠如しているからである。

「なぜなら、彼の成果を吟味する者は彼以外にはいないし、彼個人の心性史の不可避的な帰結であるもろもろの偏見を訂正しうる者は彼以外にはいない」からである。

「人が判明でかつ筋道の通ったコミュニケーションの修練を積むことができるのは、ただ**自分でそれをしたことのない人間**に向かって説明する企てにおいてだけであり、このコミュニケーションの修練もまた科学的方法の構成要素なのである。」（Karl Popper, *The Open Society and Its Enemies*, Vol.II, Princeton University Press, 1971, p.219　強調はポパー）

ポパーは科学的客観性とは何かについて、ここでたいへんクリアカットな定義を下している。

「われわれが『科学的客観性』と呼んでいるものは、科学者の個人的な不党派性の産物ではない。そうではなくて科学的方法の社会的あるいは公共的性格（social or public character of scientific method）の産物なのである。そして、科学者の個人的な不党派性は（仮にそのようなものが存在するとしてだが）この社会的あるいは制度的に構築された科学的客観性の成果なのであって、その起源ではない。」（*Ibid*., p.220）

私はポパーが「科学」について述べたことは「知性」についてもそのまま準用できるだろうと思う。科学の場合と同じく、知性が知性的でありうるのは、それが「社会的あるいは公共的性格」を持つときだけである。個人がいかほど「知性的であろう」と念じても、人は知性的であることはできない。知性は「社会的あるいは公共的な」かたちでしか構築されないし、機能もしない。

ただし、「社会的あるいは公共的」という言葉から、「学会」のようなものを漠然と想像すべきではないだろう。複数の専門家が一堂に会して、相互に忌憚《きたん》なく業績を評価する仕組みができているというだけでは「社会的あるいは公共的」という条件は満たされない。現に、20世紀以降でも、さまざまな国家において当代一流の学者たちがぞろぞろと時の権力者の喜びそうな学説の保証人になった例を私たちはいくらでも知っている。ある時点において多くの支持者を得た支配的な学説であるということだけでは「社会的あるいは公共的」という条件は満たされない。「社会的あるいは公共的」であるためには、時間を味方にしなければならない。

時間の経過とともに、学説のあちこちに散乱していた「満たされるべき空虚」がひとつひとつ充填されてゆくような力動的なしかたで構成されたものをこそ「社会的あるいは公共的」な言明と呼ぶべきだろうと私は思う。そのようなプロセスが出来するためには、そのプロセスには原理的にその場に居合わせることができないものたちも含まれていなければならない。死者たちにもいまだ生まれざる者たちにもまたその場に参加する正式の招待状を送られていなければならない。

　社会性、公共性とは今ここにおける賛同者の多寡《たか》によって計量されるものではない。そうではなくて、過去と未来の双方向に向けて時間的に開放されているかどうか、それが社会性・公共性を基礎づける本質的な条件だろうと私は思う。「協働」という言葉に私が託したいのは、そのような「存在しない人々」をもフルメンバーとして含む、時空を超えて拡がる共同体の営みのイメージである。

　ポパーはかつて、科学者は先行する世代の科学者たちの「肩の上に立って」仕事をするという卓越した比喩を用いたことがある。死者たちからの贈与の恩恵を私たちは今、享受している。だとすれば、私たちの仕事の成果に何らかの価値があったとしたら、その果実を受け取るのは未来の科学者たち、まだ生まれていない、私たちがまだその顔も知らない科学者たちであることになる。先行世代から伝えられた「パス」を、次世代に繋ぐこと。ポパーの「社会的あるいは公共的」という言葉から私が思い浮かべるのは、そのような時間の流れの中で生起する繋がりである。

それゆえ、時間の中でその真理性がしだいに熟してゆくような言明を私は「知性的」と呼びたいと思っている。私が時間の関与にこだわるのは、「ランダムな事象の背後に存在する数理的秩序」を幻視する知性の渇望が必ずしもすべて知性的なものではないからである。陰謀史観がその適例であるが、それは同時代に多くの賛同者を得たという意味についてだけ言えば「社会的・公共的」な仮説と言えなくもない。けれども、そこには構造的に欠落しているものがあった。そこには時間が流れていなかったのである。

「今、ここ、私」しかない無時間性

ドリュモンは古代ローマから現代まで、ヨーロッパの全歴史は「セム族の世界支配の陰謀との戦い」の歴史であったと書いた。それゆえ、これからのちも同じ戦いが意匠を変えて継続することになるだろう、と。彼の物語において、死者たちも未来世界の人々も、その相貌はほとんど変わることなく同一である。セム族の人間は永遠不変のセム的性格を負い続け、アーリア人種も永遠のアーリア人性を負い続ける。たしかに、それによって世界史の見通しは驚異的にシンプルなものになる。あらゆる歴史的出来事は同一の戦いの反復と変奏だったのである。ドリュモンの物語の中で、死者たちは誰もがぎくしゃくした「操り人形」のように無個性的で、無表情である。彼らはただ単一のわかりやすいストーリーを再演するためだけにそこに繰り返し召喚される。私はドリュモンの書いた膨大な反ユダヤ主義文献を読みながら何度も窒息感を覚えた。彼において、過去はほとんど現在であった。古代ローマ人も中世の騎士たちも、19世紀末のフランスの紳士たちと同じような論理と感受性によって行動している。その絶望的な「広がりのなさ」に私は辟易《へきえき》したのである。その経験が私に教えてくれるのは、反知性主義を決定づけるのは、その「広がりのなさ」「風通しの悪さ」「無時間性」だということである。

反知性主義者たちにおいては時間が流れない。それは言い換えると、「今、ここ、私」しかないということである。反知性主義者たちが例外なく過剰に論争的であるのは、「今、ここ、目の前にいる相手」を知識や情報や詭弁《きべん》術によって「威圧すること」にしか興味がないからである。だから、彼らは少し時間をかけて調べれば簡単にばれる嘘をつき、根拠に乏しいデータや一義的な解釈になじまない事例を自説のために駆使することを厭わない。これは自分の仕事を他者との「協働」の一部であると考える人は決してすることのないふるまいである。

私はこれを「エンドユーザー・シップ」というふうに呼んでいる。自分の知的努力を享受するのは自分ひとりである。自分の努力がもたらした成果は自分が使い切る。誰にも分与しない、贈与もしない。そう考える人のことを私は「エンドユーザー」と呼ぶ。

これは大学で卒論指導をしているときに学生たちに毎年伝えたことである。私はこんなふうにオリエンテーションのときに話した。

諸君にはこれから卒業論文というものを書いてもらう。これは君たちがこれまで書いてきた「レポート」とは性質が違うものである。「レポート」の場合、君たちは自分がどれほど勉強したか、どれほど出席して講義をノートしたかを、教師ひとりに専一的にアピールすれば済む。「レポート」はふつう教師ひとりしか読まない。だから、たとえそこに嘘を書いても、読んでもいない本を読んだことにしても、ネットからコピーした文章を切り貼りしても、教師ひとりがそれを見落とせば、諸君は高い評点をもらえる可能性がある。そういう「レポート」は評点をもらったらその使命を終え、誰にも読まれることなく、そのまま退蔵され、やがて捨てられる。それがどれほど不出来でも、どれほど誤謬や推論上のミスがあっても、それで困る人間はどこにもいない。

卒論はそれとは違う。卒論は君たちのほとんどにとって生涯にただ一度だけ書く「学術論文」である。それは潜在的には「万人」を読者に想定している。教師ひとりが読むわけではない。だから、仮にデータの数値が間違っていたり、引用文献の書名が間違っていたり、事実誤認があったり、論理的に筋道が通らないことが書かれていた場合、仮に教師が読み落としても、他の誰かを困惑させる可能性がある。実際に、うちのゼミ生の卒論をネットで公開したとき、自著からの「盗用」に気づいて指摘してきた人がいた。その学生はまさか盗用した本人が自分の論文を見ることになるとは思っていなかった。

だから、論文の読者が「万人」であるということは書き手にそれなりの緊張感を求める。

けれども、それは必ずしもストレスフルな緊張感には限られない。諸君には「君たちと同じテーマで卒論を書くことになった、何年か先の内田ゼミの後輩」を想定読者に論文を書いて欲しい。それならどう書いていいかわかるはずだ。

「重箱の隅を突くような」査定的なまなざしを意識して文章を書くことがいつもよいこととは限らない。査読者に「自分の論文がどれほどの評点を得るのか」怯えながら書くよりも、自分の後輩を想定読者にして、彼女たちが「自分の論文からどれほどの利益と愉悦を得るか」を想像しながら書く方がたぶんずっと楽しいし、生産的だ。

そう考えれば、どう書けばよいかはわかるだろう。君たち自身がこのテーマで卒論を書こうと決めたとき、「こういう先行研究があったらいいな」ということを漠然と思い描いたはずだ。だったら、それをそのまま後輩のために書くようにすればいい。論理的な記述を心がけるのも、引用に正確を期すのも、データや史料の恣意的解釈を自制するのも、それは君たちの書いた「先行研究」を後輩たちがその上に立つことのできる「肩」にするためだ。君たちが読みやすくて、論理的で、データが豊富で、信頼性の高い研究論文を書き残せば、それは「パブリック・ドメイン」として多くの後続研究者に繰り返し利用されることになる。学術研究では「被言及回数・被引用回数」がその論文のもつ影響力の尺度として用いられるけれど、それは言い換えれば、その研究の「社会性・公共性」が高いということだ。

君たちがこれから書く論文の価値を判定するのはゼミの指導教師である私ではない。これから君たちの論文を読むことになる「まだ存在してない読者たち」である。その人たちのために書かなければならない。レポートの場合、どれほどひどいものを書いても、どれほど引用のしかたがずさんでも、データの転記ミスがあっても、それを読んで実害をこうむる読者は（絶望的な気分になる教師の他には）誰もいない。でも、論文の場合はそうではない。もし、君たちが引用出典の頁数を間違えたり、書名を誤って表記していたら、後輩たちは典拠を探しあぐねて図書館で何時間もうろうろしなければならないかも知れない。論理的に記述されていなければ、いったい何を言いたいのか知るために繰り返し同じ頁をめくらなければならないかも知れない。論文の質がよいか悪いか、それから影響を受けるのは、まだ見ぬ読者たちである。君たちが質のよい論文を書けば、それによって受益するのは、まだ見ぬ読者たちである。君たちはその人たちに向けて「よいパスを出す」ことを期待されている。論文において君たちはエンドユーザーではなく、パッサーなのである。

おおよそそのような話を私は卒論ゼミの最初の時間に学生たちに話してきた。易しい言葉づかいではあるけれど、私なりに「知性的」であるとはどういうことか、「科学的」であるとはどういうことかを学生に説き聞かせてきたつもりである。それは最終的には「まだ見ぬ読者たち」との協働の営みをどれほど生き生きと想像できるかにかかっている。

反知性的なふるまいは「狭さ」を特徴とする。それは上に書いたとおりである。彼らは「今、ここで、目の前にいる人たちを威圧すること（黙らせること、従わせること）」を当面の目標にしている。それ以外には目的がない。その場での相対的優位の確保、それが彼らの求めるもののすべてである。ほんとうにそうなのだ。彼らには「当面」しかない。彼らは時間が不可逆的なしかたで流れ、「今、ここ」で真実とされていることが虚偽に転じたり、彼らが断定した言明の誤りが暴露されることを望まない。それくらいなら、時間が止まった方がましだと思うのである。この反時間という構えのうちに反知性主義の本質は凝集する。

なぜマッカーシーは法外な政治力を持ち得たのか

20世紀における反知性主義者のワーストテンに必ず算入されるはずの人間にジョセフ・マッカーシー上院議員がいる。彼が常習的な嘘つきであり、金に汚く、卑劣漢であったことについては無数の証言があるが、それだけでは彼が１９５０年から１９５４年までトルーマン、アイゼンハウアーという二代の大統領の権限を機能不全に追い込むほどの権力を持った理由を説明することができない。

全盛期のマッカーシーはその一挙手一投足を世界のメディアが注視するアメリカでただ一人の上院議員だった。同盟国イギリスの「タイムズ」は彼のまわりに立ちこめる空気を「西側の政策決定にあたって不可欠の要素」と語り、ウィンストン・チャーチルはエリザベス二世の戴冠式の祝辞の中でマッカーシー批判の一節を挿入することを自制できなかった。短期ではあったけれど彼が国内外にふるったこの恐るべき影響力は彼の徹底的に反知性主義的な構えにあったと私は考えている。

反知性主義はしばしば法外な政治力を持つことがある。ただし、それは「未来を持たない」という大きな代償と引き替えにしか手に入らない。反知性主義者の最大の特徴は「少し時間と手間をかければ根拠がないことが露見する話」を自信たっぷりに語ることにあるからである。

これほど自信ありげに断言するからには、彼はきっと真実を語っているに違いないと人々は推論する。この推論そのものは経験的には正しい。けれども、少し時間が経つうちに、話につじつまの合わないところが出て来て、疑問に思って話の裏を取ろうとする人も出てくる。すると、彼は「そんな話をしているんじゃない」と一喝して、また違う話を自信たっぷりに断言する。すると、これほど自信ありげに断言するからには、彼は少なくともこの話題については真実を語っているに違いないと人々は推論し、問題になっている過去の断言についての吟味を停止する……ということが何度か繰り返される。それが何度か繰り返されているうちに、人々はどうも彼はその場しのぎで嘘を言うことで政治生命を延命させていただけではないのかということにようやく思い至る。でも、信じられないのだ。どうしてそんなことをするのか意味がわからないからだ。それが暴露されたときに（時間が経てば必ず暴露される）失うものがあまりに多いからだ。それがわかっていて、なぜ彼はあれほど嘘をつき続けたのか。マッカーシーも、上院議員として選挙区でこまめに「どぶ板」活動をしているくらいのことで満足していれば、酒浸りで48歳で窮死することもなかっただろうに。

ジョセフ・マッカーシーは政敵への遠慮ない人格攻撃と悪質な経歴詐称によって順調に政治的キャリアを積み重ね、30代で上院議員に選出された。「一九五〇年の初め頃は、マッカーシーはウィスコンシン州以外の世間の人にとってはとるにたらぬ人間であった。ウィスコンシン州ではかれは下品で大げさな身振りの、公共の利益にいいかげんな態度で臨む安っぽい政治家として知られていた。アメリカ人百人のうち一人がその存在を知っていたかどうかも怪しい」という当時のジャーナリストの筆致は決して意地が悪すぎるというわけではない。（R・H・ロービア、『マッカーシズム』、宮地健次郎訳、岩波文庫、1984年、13頁）

しかし、ある日転機が訪れる。1950年ウェストヴァージニア州のウィーリングの共和党婦人クラブという小さな集会でマッカーシーはその歴史的な演説をした。演説中で彼は、国務省は共産主義者の巣窟であり、自分も国務長官もその名前を記載したリストを持っているという爆弾発言を行った。

「後日、マッカーシーは共産主義者が二〇五人と言ったか、八一人、五七人、それとも『多数の』と言ったかということで若干の論争があったが（かれがなにか言うと必ず論争があった）、『国務長官にも知られている』共産主義者が『今もなお勤務し、政策をたてている』、

これは事実だとかれが主張したのにくらべれば、数はどうでもよかった。」（同書、13頁）

ただちに上院に調査委員会が組織されたが、マッカーシーはたいしたことを知っているわけではないということしかわからなかった。問題は、委員会がマッカーシーに「政府部内に共産主義者がいること」を証明せよと要望する代わりに、政府当局者は「政府部内に共産主義者がいないことを証明すべきだ」というマッカーシーの言い分にうっかり同意してしまったことだ。「悪魔の証明」である。ある政府機関内部に共産主義者が「ひとりいる」ことは簡単に証明できるが、「ひとりもいない」ことを証明するのはきわめて困難である。マッカーシズムの期間、政府の各部局の長たちはマッカーシーの弾劾から組織を防衛するために「自分は腐敗しておらず、共産主義に反対で、反逆者を雇用してもいない」ことを証明する作業を他のすべての業務に優先せざるを得なかった。この無意味な作業のためにアメリカが5年間でどれほどの国益を失ったのか計算したものはいないが、おそらく天文学的な数値に上るだろう。彼が在任中に摘発できた「反逆者」は何人かの元共産党員だけに過ぎなかったが、彼によって破壊されたものは桁外れだった。

マッカーシーは実際には共産主義者が政府部内に侵入しているのかどうか知らなかったし、興味もなかった。彼に必要だったのは何よりも「注目を浴びること」だった。

彼がウィーリングで歴史的な演説をしたのは1950年2月9日だが、その1月前の1月

7日にマッカーシーはワシントンで3人の選挙コンサルタントたち（ひとりの神父、ひとりの大学教授、ひとりの弁護士）とディナーを取りながら次の選挙の「目玉」になりそうな政策を物色していた。コンサルタントの一人はマッカーシーに「セント・ロレンス水路」の推進はどうかと提案した。マッカーシーはそれにはとりあわず、65歳以上のものに月額100ドルの年金をばらまくのはどうかと逆提案した。コンサルタントたちは賛成しなかった。別のコンサルタントが共産主義者の勢力拡大と破壊活動を主題にするのはどうかというアイディアを出した。マッカーシーはこれに飛びついた。彼らはしばらく討議したが、その話を持ち出した神父自身がマッカーシーの興奮ぶりを警戒して、こういう問題にあまり無責任なしかたで取り組まないようにと釘を刺した。マッカーシーは慎重に取り組むと約束したが、もちろん約束は守られなかった。

この逸話は私に「反ユダヤ主義の父」ドリュモンがユダヤ人のフランス支配の陰謀の物語を着想したときのことを思い出させる。ドリュモンはその大著の刊行まで、新聞記者としてある新聞社で働いていた（その経営者はユダヤ人であり、彼はその社で厚遇されていた）。そしてある日、ドリュモンは、フランスの政治家も官僚も財界人もメディアもすべてはユダヤ人に支配されているという「隠された真実」を発見した。その証拠に、フランスのメディアは「政官財をユダヤ人が事実上支配している」という真実を報道していない。この完璧な報道管制こそユダヤ人の支配がフランス社会の隅々まで徹底していることの動かぬ証拠である。ドリュモン自身、ユダヤ人が経営している新聞社で働き、オーナーのユダヤ人とも友好的な関係にありながら、ユダヤ人がフランスを支配しているという事実に気づかずにいたくらいだ……。不思議な論法であるが（ドリュモンという人は論理的な思考がほんとうに苦手な人だった）、読者たちはそれを読んで「なるほど」と同意した。

マッカーシーもまたある日、共産主義者たちがひそかに政府を支配し、政策を起案しているという「真実」を発見した。まさに共産主義者が政策決定に深く関与していることが、共産主義者が政策決定に深く関与しているという事実が少しも明らかにされない当の理由なのだという論法もドリュモンとよく似ている。そして、「共産主義者が政府機関を支配してないことを証明してみせよ」という恫喝によってマッカーシーは5年間にわたって大統領と議会ににらみを利かせ、FBIを頤使《いし》し、アメリカ社会を狂騒と混乱のうちに陥れた。

なぜ、このような人物がこれほどの政治力を発揮しえたのか。理由の一つは彼が「政府には共産主義者が巣喰っている」という自分が喧伝している当の物語を一瞬たりとも信じたことがなかったからだと『マッカーシズム』の著者は書いている。私もこれに同意の一票を投じる。

「本当にそう信じ、本当に気にかけていたのなら、唯《ただ》面倒くさいからとか、期待したような大見出しにならなかったからという理由で、調査を放棄するようなことはしなかっただろう。

かれは政治的投機者、共産主義を掘り当て、それが噴油井を上って来るのを見た試掘者だったのである。そしてその噴油井が気に入った。しかし、別のどういう噴油井でも同じように気に入ったことであろう。」（同書、97頁）

例えば、マッカーシーはＣＩＡこそ「最悪の状態」だと述べ、そこには百人以上の共産主義者がおり、それをこの手で根絶してみせると宣言した。だが、政府部内にマッカーシーの調査員たちがＣＩＡを土足で歩き回ることを望むものはいなかった。彼らは自分たちの身内の調査委員会の結論（「何もありませんでした」）をマッカーシーに伝えた。マッカーシーはこれ以上ことを荒立てると誰かの虎の尾を踏むリスクがあることを感じ取ったのか、「この問題はこれ以上踏み込まない」と言って調査を切り上げた。マッカーシーの告発が正しければ、ＣＩＡはそれ以後も「最悪の状態」のままだったはずであるが、そのことはマッカーシーをあまり悩ませなかった。

マッカーシーの事例が教えてくれる最も豊かな教訓の一つは、自分の言っていることを信じていない人間は自分の言っていることを信じている人間よりも論争的な局面ではしばしば有利な立場に立つという事実である。

ふつうの人は、自分の言いたいことにまだ充分な裏付けがない場合は断定的に語るのを自制する。だから、どうしても歯切れの悪い言い方になる。そして、自分が「確信のないことを語るときの気後れ」を他人も経験するはずだと推論する。残念ながら、マッカーシーはそのような気後れとまったく無縁の人物であった。ロービアのほとんど詩的な罵倒を採録すると「マッカーシーは確かに嘘つきのチャンピオンだった。かれは思うままに嘘をついた。恐れることなく嘘をついた。白々しい嘘をつき、真実に面と向って嘘をついた。生き生きと、大胆な想像力を用いて嘘をついた。しばしば、真実を述べるふりすらしないで嘘をついた。」(同書、71頁)

反知性主義者には気後れというものがない。その点で、彼は論争における勝負の綾を熟知していると言ってよい。「ふつうなら気後れして言えないこと」を断定的に語る者はその場の論争に高い確率で勝利する。

しかし、このような「短期決戦」スタイルの主張は当然ながら「手間暇をかけて裏を取る」人によってていねいに吟味されるといずれ土台から崩壊する。だから、反知性主義のほんとうの敵は目の前にいる論敵ではない(彼らは目の前にいる人間のことなど、ほとんど気にしない)。彼らのほんとうの敵は時間なのである。

時間はどのような手立てを講じようと経過する。そして、その過程で「嘘」は必ず露呈する。反知性主義者はだからある意味で時間と戦っているのである。それゆえ、彼らの戦術的狡知は「時間を経過させない」ことに集中することになる。

時間を経過させないことは人間にはもちろんできない。人間にできるのは「時間が経過していないように思わせる」ことだけである。これについては経験的にかなりたしかなやり方がある。それは反復である。「同じ言葉を繰り返すこと」「同じふるまいを繰り返すこと」によって時間は止まる（ように見える）。すべての反知性主義者はこの点については実に洞察力にすぐれた人類学者だと言わなければならない。彼らは太古の祭祀儀礼以来の経験から、同じリズム、同じメロディで反復される同じダンスを見せられているうちに人間は時間の感覚を失ってしまうということを学習した。強化された反復によって、人間の時間意識は麻痺する。客観的時間は経過するが主観的時間は経過しない。歴史上のすべてのデマゴーグはこのことを直感的に知っていた。彼らはしばしば「雄弁」だと言われるが、その「雄弁」性は次々と新しい語彙《ごい》を作り出すとか、次々と新しい概念を提出するとかいう点には存しない。彼らの「雄弁」性の本質を形成するのは、同一のストックフレーズの終わりなき繰り返しを「厭わない」という忍耐力なのである。

　ふつうの人間は同一性の反復に長くは耐えられない。同一の口調、同一のリズム、同一のピッチ、同一の身振りを繰り返すということはどこか本質的に反生命的・反時間的なふるまいだからである。生命の本性は環境の変化に応じて変化し、複雑化することだからだ。でも、デマゴーグは反復を厭わない。反復に固執する。同じ表情、同じ言葉づかいで、同じストックフレーズを繰り返し、同じロジックを繰り返す。政治的失敗を犯した場合でさえ、その失敗をあえて二度三度と繰り返す。彼らは失敗から学習するということをしない。学習によって変わるとせっかく止めていた時間が動き始めてしまうからだ。彼らは同じ表情で、同じ言葉を繰り返す。それを見ているうちに、私たちはそれがいつの出来事だったのか、しだいにわからなくなってくる。1年前の出来事なのか、3年前の出来事なのか、それとも1年後の出来事なのかが識別できなくなる。この過剰なまでの同一性への固執は彼らの知的無能を示しているのではない。むしろ、彼らの戦術的狡知の卓越性を示している。彼らは自分たちが息を吐くようについている嘘が時間の経過に耐え得ないものであることを知っている。だから、時間を止めようとするのである。

株式会社のCEOのような統治者たち

現代に話を戻す。これまでもいろいろなところで書いてきたことの繰り返しになるが、わが国は今「国民国家のすべての制度の株式会社化」のプロセスを進んでいる。平たく言えば、金儲けに最適化したシステムだけが生き残り、そうでないシステムは廃絶されるというルールに国民の過半が同意したということである。営利企業の活動はもちろんのこと、農林水産業のような自然の繁殖力を永続的に維持管理するための活動も、医療のような国民の健康を保持するための活動も、教育のような次世代の担い手の市民的成熟を支援するための仕組みも、すべてが経済効率だけを判定基準にして淘汰されるべきだという判断に国民の過半が同意を与えた。この趨勢を「国民国家の株式会社化」と私は呼ぶ。

株式会社のCEOは独断専行で経営政策を決定する。従業員や株主の合意を得てからはじめて経営判断を下すような経営者はいない。そのような手間暇をかけていては生き馬の目を抜くグローバル資本主義を生き残れないからである。ワンマン経営が推奨されるのは、経営判断の適否はただちにマーケットによって検証されることをみんな知っているからである。「マーケットは間違えない」。これはすべてのビジネスマンの信仰箇条であり、これに異を唱えるビジネスマンはいない。CEOの経営判断の適否は、タイムラグなしに、ただちに、売り上げや株価というかたちで可視化される。どれほど非民主的で独裁的なCEOであっても、経営判断が成功し続けている限り、そのポストを脅かされることはない。

現代の政治家たちは「株式会社のCEOのような統治者」をロールモデルにしている。そして、そのことを国民もまた当然のことのように思っている。けれども、人々は国家を株式会社のように経営することはできないという平明な事実を忘れている。政治にはビジネスにおける「マーケット」に対応するものが存在しないからである。

国政における今ここで採択された政策の適否は、50年後、100年後も日本という国が存続しており、国土が保全され、国民が安らぎのうちに暮らしているかどうかによって事後的にしか検証されない。株式会社であれば、新製品がどれくらい市場に好感されたか、展開した店舗がどれくらい集客したか、ターゲットの設定がどれくらい適切であったかは、当期の売り上げや株価によって、ほとんどタイムラグなしに評点が下される。けれども、残念ながら、四半期で適否が判定できるような政策は国政についてはほとんど存在しない。今政府が行おうとしている重要政策の適否が判明するのは、その政策が重要であればあるほど遠い未来になる。場合によっては、私たちの死後かも知れない。「政治にマーケットはない」というのはそういう意味である。採択された政策が「失敗」したとわかったときに、国民は「CEOを馘首《かくしゅ》する」というソリューションが採れない（たいていの場合、失政の張本人はとうに引退するか、死んでいる）。そのとき失政の後始末をするのは未来の国民国家の成員たちしかいない。誰にも責任を押しつけることができない。祖先が犯した政策判断の失敗の「尻ぬぐい」はその決定に参与しなかった子孫たちがするしかない。そのような「負債」の引き受けを合理化する唯一の根拠が民主制である。

誤解している人が多いが、民主制は何か「よいこと」を効率的に適切に実現するための制度ではない。そうではなくて、「悪いこと」が起きた後に、国民たちが「この災厄を引き起こすような政策決定に自分は関与していない。だから、その責任を取る立場にもない」というようなことを言えないようにするための仕組みである。政策を決定したのは国民の総意であった。それゆえ国民はその成功の果実を享受する権利があり、同時にその失政の債務を支払う義務があるという考え方を基礎づけるための擬制が民主制である。

このためには、死者もまだ生まれてこない者もフルメンバーとして含む、何百年もの寿命を持つ「国民」という想像の共同体を仮定する必要がある。その国民なるものが統治の主体であるという「物語」に国民が総体として信用を供与するという手続きを踏まざるを得ない。

これは株式会社とは最も縁遠い共同体理解である。株式会社は短命である。今年起業された株式会社のうち50年後にまだ存続しているものはおそらく1%以下であろう。だが、別に短命であることは株式会社にとって少しも困ったことではない。起業して1年目に会社ごと身売りしてキャピタルゲインで天文学的な個人資産を手に入れた経営者は、老舗の看板を細々と100年守っている小商いの経営者より高く評価される。株式会社は「当面の勝利」以上のものを望まない。どれほどの規模の経営破綻を来しても、株券が紙くずになるのが株式会社の取りうる責任のすべてである。倒産してそれで「終わり」である。倒産した企業の社会的責任を何十年何百年も追及し続けるということは誰もしない。

しかし、国家はそうはゆかない。国政の舵取りに失敗すれば、その責任はその政策決定にまったく関与しなかった世代にまで及ぶ。日本のかつての被侵略国に対する戦争責任は戦後75年を経てもまだ追及が終わらない。「もういい加減にしろ」といくら大声でどなっても、「じゃあ、もう追及するのは止めます」と隣国の人々が言ってくれるということは絶対に起こらない。「日本人は戦争責任への反省がない。決して許すまい」という相手のネガティブな心証形成が強化されるだけである。米軍はこのままおそらく未来永劫に日本の国土に駐留し続け、広大な土地を占有し続けるだろう。北方四島もロシアが占領し続けるだろう。国家の失政の責任は無限責任である。「75年も経ったのだから、もういいでしょう」と言っても、相手国が「そうですね」と引き下がることはない。彼らはみな「日本に貸しがある」と思っており、その貸しは「まだ完済されていない」と思っている。彼らがいつ「完済された」と思うようになるのか。それを決めるのは先方であって、われわれではない。無限責任とは「そういうこと」である。

しかし、今の為政者たちは、政策の適否は長い時間的スパンの中で検証されるものであって、自分たちが今犯した失政の「負債」は自分たちが死んだ後、まだ生まれていない何代もの世代に引き継がれることになるというふうには考えていない。彼らは自分たちの政策が歴史的にどう検証されるかということには何の興味も持っていない。彼らが興味を持つのは「当面の政局」だけである。政治家であれば「次の選挙」である。「次の選挙」がビジネスマンにとっての「マーケット」を代替する。「マーケットは間違えない」のであれば、次の選挙で当選すれば、彼らが採択した政策の適否についての歴史的判断はすでに下ったということになる。歴史的判断は選挙によって国民がすでに下したのであるから、彼らが表舞台から退場したあと、彼らが死んだあとになって、彼らの下した政策判断がどういう結果をもたらしたか、そんなことにはもはや何の意味もないのである。政治家が「文句があれば次の選挙で落とせばいい」とか「みそぎは済んだ」というような言い回しを好むのは、直近の選挙結果が政策の適否を判定する最終審級であり、歴史的な審判などというものは考慮するに及ばないと彼らが本気で信じているからである。

私は先に反知性主義の際立った特徴はその「狭さ」、その無時間性にあると書いた。私がこの小論で述べようとしたことは、そこに尽くされる。長い時間の流れの中におのれを位置づけるために想像力を行使することへの忌避、同一的なものの反復によって時間の流れそのものを押しとどめようとする努力、それが反知性主義の本質である。

反知性主義者たちもまたシンプルな法則によって万象を説明し、世界を一望のうちに俯瞰《ふかん》したいと願う知的渇望に駆り立てられていることに変わりはない。それがついに反知性主義に堕すのは、彼らが今の自分のいるこの視点から「一望俯瞰すること」に固執し、自分の視点そのものを「ここではない場所」に導くために何をすべきかを問わないからである。「ここではない場所」「今ではない時間」という言葉を知らないからである。

最後にレヴィナスの『全体性と無限』の冒頭の言葉を記して筆を擱《お》くことにする。「形而上学」というレヴィナスの言葉を「知性」に置き換えて読んで頂ければ、私の言いたいことがこのわずか二行に尽くされていることがおわかりになるだろう。

「形而上学は『ここではない場所』、『別の仕方で』、『他なるもの』に向かう。思想史の中で形而上学はさまざまな形態をまとってきたが、最も一般的なかたちとしては、形而上学は私たちにとって親しみ深いこの世界（…）から、私たちの棲み着いている『私の家』から、見知らぬ自己の外、ある彼方へと向かう運動として現われるのである。」（Emmanuel Lévinas, *Totalité et Infini*, Martinus Nijhoff, 1971, p.21）

（『日本の反知性主義』所収、晶文社、２０１５年）

Ⅳ　共同体と死者たち

倉吉の汽水空港でこんな話をした

2021年1月17日に倉吉のほど近く東郷湖のほとりにある汽水空港という不思議な名前の書店に招かれて、お話と質疑応答をした。私の講演部分だけ採録。

ここ汽水空港がこの地域の文化的な発信拠点となっているようですが、同じようなことが今日本各地で起こっています。共通項は、壁に本棚、コーヒーが飲める木造のスペースということでしょうか。新しい時代のモデルというのはイデオロギーとか理念とかではなく、実はイメージなんじゃないかと思います。手触りとか、匂いとか、そういうものにリアリティがあれば、イメージは浸透力を持ち、現実変成力を持つ。

何かトレンドが起きるときは、イメージが先行する。大学にポストを得て初めて授業をした日、僕はツイードのジャケットにダンガリーのシャツ、黒いニットタイにボストンの眼鏡というでたちで教壇に立ちました。授業の後に学生から「そんなに着込んで暑くないですか?」と訊かれて、四月中頃にどうして俺はこんな格好をしているのか考えました。そして、しばらく経ってから、それが『レイダース　失われた聖櫃《アーク》』でインディ・ジョーンズ博士が冒険の旅の後、大学でつまらなそうな顔をした女子学生の前で考古学の授業をしているときのスタイルだったことに気がつきました。映画を観て「ああいう恰好をして授業をしたい」と強く念じたせいで、僕は大学の教師になった。イメージに引きずられて職業を選んでしまったのです。イメージにはそういう現実変成力がある。

汽水空港の森哲也君は2011年の震災のときに千葉からひたすら西へ向かって逃れてきて、鳥取で足が止まって、そこでとにかく書店を始めたいと思ったそうです。僕の年若い友人である青木真兵・海青子《みあこ》ご夫婦が奈良県の東吉野村に移住して運営している私設図書館「ルチャ・リブロ」も、僕の友人の平川克美君が東京でやっている「隣町珈琲」も汽水空港とイメージが似ています。壁一面の本棚、木の床、珈琲の香り。

僕が主宰する合気道の道場、凱風館の2階も同じ作りです。壁一面の本棚と木の床。そこが公共の場になっている。書物というのは私有財産ではなくて、公共財です。書物は読んでも減らないし、モノとして独占しても意味がない。だから、書物を中核とする空間というのは、本質的に開かれたものになる。

汽水空港やルチャ・リブロや隣町珈琲に共通するのは「開かれた公共的な空間」に対する渇望ではないかと思います。空間がすべて私有化され、他者の立ち入りを許さない「パーソナル・スペース」に分断された社会に暮らすことの息苦しさに対して、もっと風通しのいい空間で暮らしたいという思いが強まってきた。そのことの表れではないかと思います。

共有地のことを英語では「コモン（common）」と言います。中世から19世紀まで英国の田舎にはどこにでもあった村落共同体の共有地のことです。人々はそこで家畜を放牧し、釣りをし、狩りをし、果実やきのこを採取することができた。フランスには「コミューン（commune）」、イタリアには「コムーネ（comune）」と呼ばれる基礎共同体がありますけれど、発生的には同じものです。共通の土地、宗教、言語、生活文化を共有する共同体です。

公共財を共同的に管理することのできる共同体の再構築のための作業が今、世界的な規模で始まっています。それは言い換えると、「私たち」という一人称複数形がしっかりとしたリアリティと手応えを持つような共同体を創り上げるということです。

白井聡、斎藤幸平といった若い人たちが相次いで「コモン」をテーマにした本を世に出しました。僕も同じ頃に『コモンの再生』という題名の本を出しました。期せずして、公共財をどうやって共同的に管理するのか、公共財を共同的に管理することのできる共同体とはどのようなものか、それはどのようにして立ち上げられるのか、ということが緊急性の高い問いとして前景化してきた。

持続可能な共同体というのは、私的利害を基準にしては成り立ちません。自分はこれだけの財やサービスを共同体に供出したのだから、それに見合うだけの「リターン」が欲しいというような考え方をしている人たちだけではコモンは成立しない。コモンを存立させるためには、まず豊かな公共財、「みんなが使える公共財」をしっかり確保しなければならない。

だから、コモンの立ち上げ時点においては「財の持ち出し」になります。メンバー全員が私財の一部を供出し、私権の一部を断念することによってはじめて公共は立ち上がる。だから、自分が供出した分より多くを公共財から取り出そうとする人たちばかりでも、自分が出した分だけきっちり回収しようとする人たちばかりでも、コモンは成り立ちません。

70年生きてきて、世の中の移り変わりを見てきた立場から言うと、1950年代の東京の市井の暮らしにはまだ共同性がありました。家庭間での行き来があったし、小津映画によく出てくるようにおかずや調味料の貸し借りも日常のことでした。防犯、防災、公衆衛生も地域社会の仕事でした。行政がまだ十分には機能していなかったから、地域の安全のためにパトロールするのも、どぶさらいするのも、自分たちの生活を守るためには当然のことでした。それが僕が中学生だったころ、東京五輪の頃から大きく変化しました。そういうゆるい共同体が失われた。

最初にブロック塀が出来て、家と家の境界線が明確化されました。よその家に遊びに行くのも間遠になった。急激な経済成長のせいで貧富の差が生じたせいです。電化製品や自家用車のある家とない家の差が出て来ると、他人の目から自分たちの「パーソナル・スペース」を隠そうとするようになった。嫉妬のまなざしを避けようとしたのです。そうやって日本が豊かになるにつれて地域社会はあっけなく解体してゆきました。こんなに簡単に地域の共同性というのは壊れるものかと僕は驚きました。

そのあと、80年代には地域社会に続いて家族も解体することになりました。村上龍と糸井重里という時代を代表する人たちがそれぞれ『最後の家族』『家族解散』というタイトルの小説を出して、家族という制度はもう賞味期限が切れたのだと宣告した。もう誰かと空間や生活習慣を共有する必要はないのだ、と。自分の好きな部屋に、自分の好きな家具を並べて、好きな音楽を聴いて、好きな時間に寝て、好きな時間に起きて、好きなものを食べて暮らすのが幸福なのだということがあらゆるメディアから喧伝された。

家族解散は消費活動を加速させました。それまで家族が「コモン」として共有し、使い回してきたすべての財が私物化された。4人家族が一軒の家に住んでいたのが4つの不動産物件が必要になり、冷蔵庫も、洗濯機も、テレビも、みんな人数分要るようになった。市場の「ビッグバン」が到来した。「これはオレのものだ。誰も触るな」という共有を拒否するマインドそのものがGDPを押し上げて、高度成長の推力になった。誰とも何も共有しない、誰とも折り合いをつけないで「自分らしさ」を追求する「あらゆるものの私有化」が資本主義においては「絶対善」だとみなされた。その結果が今です。

バブルが崩壊してから、そろそろ30年。それからの日本はひたすら貧しくなってきているのですが、「誰とも財を分かち合わない」というマインドだけは変わっていない。コモンというのはひとりひとりの生活を豊かにするための公共財でした。でも、今はもうすべてに所有者のラベルが貼ってあって、みんなが利用できるコモンはない。

僕が子どもの頃の日本は「共和的な貧しさ」のうちにありました。貧しかったけれども、みんなが多くのものを共有していた。要るものはみんなで使い回し、順番によその家の子どもの面倒を見た。日本は今再び貧しくなってきました。だから、あの頃のように財やサービスを公共の場に供託して、それを必要とする者が使うという仕組みをもう一度立て直すときがきたと僕は思います。

そういう時代の変化を主導してゆくのは言葉や理念ではなくて、もっと漠然とした、もっと具体的なイメージです。そのイメージを共有する人たちが、同時多発的になにごとかを始める。それが結果的に大きなトレンドを形成するということを最初に申し上げました。そして、今始まりつつある新しい「コモン」は書物が中心になるのではないかとも申し上げました。

青木真兵君たちが始めて、僕も加わっている「山學院《やま》」という活動があります。一昨年、その集まりが東吉野であったときに、「ひとり書店」「ひとり出版社」をしているという人が何人か参加されていました。漁村で「ひとり書店」を開いている方の話をうかがいました。自分の街に本屋が一軒もないのが寂しいので、自分で開いたというのです。平日は別の仕事をしていて週末だけ書店を開ける。本好きの人が来るので、おしゃべりをする。

瀬戸内の人口わずか１５０人の島に私設図書館を開いた方の話も聞きました。それがきっかけになってその後その島に若い移住者が相次いで、人口がV字回復しているそうです。

どこでも共通するのは書物が中心になっていることです。書物を大切に思い、それをみんなと共有しようという意志が共通している。書物というのは外部への回路です。書物は読者を「今ではない時代」「ここではない場所」に連れてゆく力を持っています。ですから、極端な話、本が一冊そこにあるだけで閉じられた空間に風穴があいて、そこから涼風が吹き込んでくるということが起こる。その風の匂いを感じ取った人たちが、書物の周りに、書物に吸い寄せられるようにして集まってくる。「21世紀のコモンの再生」のそれは一つのきっかけになると思います。

外部に通じる回路が開いている場所には独特の活気があります。わかる人にはわかる。僕が定点観測している山形県の鶴岡は羽黒山伏が地域のさまざまな活動の中心にいます。僕はそこの星野文紘《ふみひろ》さんという山伏のお招きで毎年伺っているのですが、集まってきている若い人に「なぜここに?」と訊くと、「なんとなく面白そうな感じがした」というのです。何か新しいことが始まっている場所には独特の匂いがする。それを感知した人が集まってくる。

僕が勤めていた神戸女学院は明治のはじめにアメリカから来た2人の女性宣教師が開学した学校です。キリシタン禁令が解除された直後に神戸に着いたこの2人の若い女性が開いた私塾に7人の新入生が来ました。この7人はいったい何を感じ取ったのでしょうか? 「ネイティブから英語が学べると就職に有利だ」とか、そういう時代ではありません。2人の女性宣教師が教えたキリスト教学も英語も世界史も明治初年の日本社会において特段「市場のニーズ」のないものでした。でも、そういうことを教える塾を開いたら、「あそこで勉強したい」という子どもたちが集って来た。この子どもたちはきっと「なんだかわからないけれども、あそこには他の場所とは違う空気が流れている」ということを感じ取ったのだと思います。明治の日本社会の他のどこにもないような「異界に通じる回路」を感じたのだと思います。

異界との通路があらゆる共同体の骨格をかたちづくります。21世紀の日本でも事情は同じはずです。

（2021年2月8日）

自戒の仕掛け

家を建てるときに書斎の三面の壁に天井までの書棚を作ってもらった。これで蔵書は全部収納できるはずですと建築家の光嶋裕介君が請け合ってくれたのだが、いざ配架してみたらだいぶ足りなかった。

大学を退職するときに、研究室にあった一般書籍はおおかた「ご自由にお持ちください」と廊下に出して持って行ってもらった。家に持ち帰った段ボール50箱分の専門書も半分くらいは東京の図書館に寄贈した（さいわい友人が指定管理者をしていたので「重複調査して、要らない本は捨てていいです」というわがままを聞いてくれた）。それでも、本は大量に残った。

書棚の前後二重に本を入れて、ロフトにもトイレの入り口にも書棚を作り足したけれど、それでも本が床や机の上を埋め尽くしているさまに変わりはない。宅配便が来ると本を蹴とばしながら階段を下り、客が来ると本の上にお盆を載せてお茶を出す。だんだん書物に対する敬意が減殺してゆくのが自分でもわかる。こういうのはよくないと思うのだが、どうしようもない。

昔はそうではなかった。院生や助手をしていた頃までは、自分の書棚を見回すのは楽しい作業だった。自分がこれまでに読んだ本を確認し、自分がこれから読むはずの本に軽く会釈を送る。そういういささか儀礼的な仕方で書棚に向き合っていたし、どんな本でも3分もあれば見つかった。だが、今は本を探しても、よほど幸運でなければ見つからない。たしかこの辺にあったはずなのだが……と思って探し回るが、いくら探しても見つからない。そのうちにだんだん腹が立ってきて、急ぎの調べもののための本だとついいらついてAmazonで買ってしまう。そしてしばらくして思いがけないところに見つけて地団駄を踏むことになる。

ときどき来訪者が書棚を見上げて「いったい何冊あるんですか？」と訊く。私にもわからない。1万5千冊くらいだろうか。もっとかも知れない。「これ、全部読んだんですか？」と訊かれる。まさか。書棚の本の8〜9割は読んでいない。そう言うと驚かれる。

今の私の年齢を考えると、これまでに読んでいない本のほとんどは「死ぬまで読まない本」である。私は死ぬまで読むことのない何千冊もの書物に取り囲まれて暮らしているのである。

どうして死ぬまで読まないはずの本に囲まれて暮らしているのか。もちろん知的装飾という働きもある。書斎に通した客人に「こういう本を読んでいる人間だと思われたい」と思って書物を並べているということはある。若い頃はそうだったから、否定はしない。そのときには「いずれ読むことになるだろう」という楽観的な見通しがあったから、まんざら嘘でもなかったのである。けれども、今はもう違う。

私が「読んでいない本・読むことのない本」の背表紙を毎日見上げて暮らしているのは、おそらくそこに何らかの教育的効果を期待しているからではないかと思う。その話をする。


外国映画を観ると、巨大な書棚に革で製本した本がずらりと並んでいる客間や書斎のセットがよく出てくる。だが、その映画の中で、登場人物たちが書棚から革製の大判本を取り出して読み耽《ふけ》るという場面はまずない（まれに客間にひとり取り残された人が手持ち無沙汰で背表紙のタイトルを読むというような場面はあるが）。では、あの書棚はいったい何のためのものなのだろう？　知的装飾としての効用はあまり期待できないと思う。なぜなら、客間に通された来客たちは自分が訪ねた人物がそこに配架されている書物を愛読するような人であるかないかくらいのことはだいたいわかっているからである。

ではなぜ、誰も読まない本を書棚に並べるというような「無駄なこと」を人はするのだろうか。それもかなり制度的に。

あれはある種の義務として観念されていたのではないかというのが私の仮説である。つまり、それなりの社会的成功を遂げて、広い書斎や客間のある家に住めるようになった人間には「自分が読んでいない本に囲まれて晩年を過ごす義務」が課されていたのである。なんとなくそういう暗黙の取り決めがあったのではないかと思う。というのは、自分が読んでいない本というのは要するに可視化されたおのれの無知のことだからである。

いい年になり、そこそこの社会的威信を獲得した人間は、つい自己評価が甘くなる。自分は成功者だと思うと、謙虚さがなくなる。新しいことを学ぶ意欲が減退する。自分の非を認めなくなり、人の話に耳を傾けることが面倒になる。総じて、「いやなやつ」になる。これは構造的なことなので避けがたい。おそらく、その増長を諫《いさ》めるために、ふと目を上げるごとに読んだことのない大量の書物の背表紙が目に入る仕掛けが考案されたのではあるまいか。

読んだことのない本は私たちにこう告げる。「お前はこの本を読んでいない。著者の名を知らない。このような知的・芸術的領域があることさえ知らない。ついに知ることのないまま死ぬのだ。おのれの無知を恥じよ」と。

書斎というのは、読みたい本がすぐ手の届くところに並んでいる便利な仕事部屋ではない。それよりはむしろ沈思黙考するための空間である。だとすれば、壁を埋め尽くす書棚がその部屋の主人に、おのれの無知と経験の狭さを思い知らせるための装置であったというのはありそうなことである。昔の人はおそらくそういう「自戒の仕掛け」が人間には必要だということを経験的に知っていた。

石坂浩二が金田一耕助を演じる市川崑監督のシリーズの一作『獄門島』を先日Amazon

Prime Videoで観た。その中に金田一が枕屏風に貼ってある色紙の崩し字が読めないで困惑するという場面があった。それは3人の娘たちの「殺され方」を指示した芭蕉と其角《きかく》の句だったのである。だから、崩し字が読めていれば金田一耕助は殺人事件を予見し、阻止できたかも知れない。「あんたは、あの字が読めないのかい」と金田一は床屋（三木のり平）に驚かれる。床屋は無学な男だが、俳句好きで、書字もよくするのである。それを見ながら、枕屏風に色紙を貼るという伝統のひそかな教育的機能に思い至った。

昔の家には必ず鴨居《かもい》の上には扁額《へんがく》が掛かり、床の間には掛け軸が下がり、屏風には色紙が貼ってあった。そして、たいていそこには「読めない文字」が書かれていた。だから、好奇心が兆したときには、その家の人に向かって「これは何という字が書いてあるのですか？」と訊ねなければならなかった。その問いに答えてくれるのは必ずしも質問者と同程度の教養人ではなかった。むしろほとんどの場合そうではなかった。時には廊下から覗き込む子どもやお茶を運んできた使用人が教えてくれた。「文字の読み方を人に教わる」というのは、自分にはそれなりに教養があると思っている人間にとっては「屈辱的な経験」である。でも、そういう屈辱をシステマティックに味わうことを通じておのれの無知を思い知るという教育的な仕掛けはたぶんどこの国の文化にもあったのだと思う。

図書館というのは世界中に存在するけれども、その本質的な機能もまた、そこを訪れる人におのれの無知を思い知らせることにあったのではないかと思う。

図書館が民営化されると、貸出の多い本ばかり配架され、貸出実績のない本は「需要のない本」ということで廃棄されるという話を聴いた。今はそういうふるまいを合理的だと信じている人間が行政の要路を占めているのである。彼らは図書館の最も重要な役割が「そこを訪れる人たちの知的活動を活性化させる」という遂行的機能にあることをたぶん理解していない。図書館の本質的機能は、書棚の間を遊弋《ゆうよく》する人たちが「自分が読んだことのない本、読むはずもない本」に圧倒されるという経験をもたらすことに存すると私は思う。図書館を訪れる度に私たちは自分がこれほどものを知らないのかということに愕然とする。それが図書館に通うことの甲斐なのだと思う。

古代の哲人が教えるように、あらゆる学びは「無知の自覚」から始まる。そこからしか始まらない。自分がいかにものを知らないのかを知っている人だけが学びに向かう。自分が何を知っているのかのリストを長くすることが知的活動だと思っている人間はついに学びとは無縁である。

新装なった隣町珈琲は壁が書棚になっている。平川君が蔵書を移したのである。書物というのは公共財であって私有するものではないという彼の見識に僕も同意の一票を投じる。訪れる人の中には、その書棚に「前から読みたいと思っていた本」を見つける人もいるだろう。けれども、書棚があることのほんとうの効用はそこに「名前もタイトルも知らない書物」を見出すことだと思う。そこから「外部」の清涼な風が吹き込んでくるからである。

（『mal"』第2号、2021年4月）

共飲・共喫儀礼によって人類が確かめてきたもの

いろいろな習慣が終わる。「当たり前だったこと」が「信じられないこと」になる。私が子どもの頃、もう半世紀以上前になるが、その頃大人たちがふつうにしていたことのうちのいくつかはもう姿を消した。

小津安二郎の映画を見ると、丸の内の重役たちは昼食のときに当然のようにビールを飲む。「もう一本いかがですか？」という女将の誘いに「いや、まだこれからお勤めがあるから」と断っていたから、彼らは微醺《びくん》を帯びて午後の「お勤め」をしていたわけである。たしかに映画を見ている限り、重役たちははんこを捺すことと同僚や友人と雑談する以外にあまり仕事らしい仕事はしていないから、生酔いでも差し支えなかったのだろう。今なら「就業規則違反」で懲戒だろう。

かつてあった「献酬《けんしゅう》」という習慣もなくなった。「お流れを頂戴」というあれだけれど、若い人はそう書いても意味がわかるまい。やはり小津の『麦秋』の一場面では、料亭の一室で、上司（佐野周二）が部下（原節子）に「まあ、一つ」と言って自分の盃を差し出す場面がある。これなどは今なら悪質な「セクハラ」「パワハラ」案件にしか見えないだろう。

煙草もそうである。１９７０年代までの映画を見ていると人々はほんとうによく煙草を吸っていた。私の主観的な印象だが、戦争中と戦後すぐは人々の喫煙量がそれまでよりずいぶん増えたような気がする。誰かハリウッド映画を精査して、時代別に「ボディ・カウント」ではなく「スモーカー・カウント」をして欲しいと思う。１９４０年代の映画でも男性たちはよく煙草を吸っていたが、やはり41年に真珠湾攻撃があって、アメリカが第二次世界大戦に踏み入ってから一気に登場人物たちの喫煙量は増えたように思う。ハンフリー・ボガートの『カサブランカ』なんか、見ているだけで部屋が煙ってくるほどである。

喫煙と戦争の間にはたぶん関係がある。一つはケミカルな理由。

煙草は「ダウナー」であるから、喫すると気分が少しの間だけ落ち着く。戦争中というのは頭が熱くなるようなことが続く時期であり、かつ頭に血が上って判断を誤ると生命にかかわる。だから、わずかなりとも気分を鎮める「薬剤」が手元にあるならそれを間断なく投与するのは生存戦略上合理的なふるまいである。

『プラトーン』や『地獄の黙示録』を見ると、60〜70年代にベトナムに参戦した兵士たちはほとんど間断なくマリファナ煙草を吸っていた。特に「美味しい」と思っているわけではないだろう。目の前の現実があまりに不条理で絶望的なので、それに引きずり込まれると生きる意欲が萎える。それよりは少しでも「ハイな気分」になっておいた方が生き延びる確率が高いと判断したのだろう。ＡＫ47で頭を撃ち抜かれたり、地雷を踏んで吹き飛ばされる方が肺癌で死ぬより確率的に高い場合には、30年後の健康に配慮するようなことをふつうの人はしない。

戦争と喫煙の関係その二つ目は、煙を吐き出すことで、自分が生きていると確認できたということである。やはり小津の『風の中の牝雞《めんどり》』に、長く外地にとどめおかれ、ようやく復員してきた男（佐野周二）が妻（田中絹代）に「煙草を買ってきてくれ」と頼む場面がある。妻が銘柄を訊ねると、男は寝転んだまま「何でもいい。煙《けむ》のたくさん出るやつ」と答える。私は20代のときにはじめてこの映画を見て、この一言がずしんと腹に応えたのを覚えている。戦地から生きて家族のもとに戻り、自分の五臓六腑が機能していることを確認するために男は「大量の煙を肺から吐き出す」ことを求めたのである。

私が20代の頃、世の中が政治闘争で荒れていた時期があった。あるとき、東京の郊外で国鉄の業務を妨害するという学生たちのデモがあった。何が目的だったのか忘れたけれど、ベトナム戦争のときだから、たぶん米軍の物資運搬への反対闘争か何かだったのだろう。線路に座り込んでいたら、夜半に雨が降って来て、そのあと機動隊に蹴散らされて痛い思いをした。明け方に濡れそぼってデモに参加した学生たちが三々五々最寄りの駅まで歩いていたときに、隣を歩いていた学生に「煙草ある？」と訊いたら「ああ」と言って一本差し出してくれた。私が持っていたマッチで二人の煙草に火を点けて、黙ってしばらく歩いた。そのときにもし彼が複数の煙草を所有していて、好みの銘柄を訊ねられたら（そんなことはあるはずないが)、きっと「なんでもいい、煙のたくさん出るやつ」と答えたような気がする。どうしてかはわからないが。

今の例から知れるように、煙草と酒は例外的に「見ず知らずの他人からもらうことができるもの」である。居酒屋のカウンターで煙草を切らしたときに、隣に座っている見知らぬ人に「一本頂けますか?」と言うと、だいたい黙って煙草を差し出してくれた(昔の話である。今は店が煙草を吸わせてくれない)。親切な人はライターで火まで点けてくれた。

煙草そのものは固体だが、吐き出す煙は気体だからである。気体は本質的に私有になじまない。それは「コモン(共有物)」として観念されている。太古的な信憑である。

酒もそうで、これは今でも旧習がかろうじて残っているが、宴席でビールや燗酒を飲みたくなったら、まず隣の人の盃に注いで、相手が「あ、気が付きませんで」と言ってビール瓶や徳利を持ち直して自分の盃に注いでくれるのを待つというのが「本式」である。人に飲むペースを決められるのは嫌だ、オレは自分のビール瓶から飲みたいときに自分で注ぐというようなハードボイルドなことを言う人がたまにいるけれど、それは「共飲儀礼」というものの本質をわかっていない人間の言い草である。

共同体を立ち上げるための「共飲儀礼」「共食儀礼」を持たない社会集団は存在しない。そのときに「共有されるもの」として選択されるのは「分割できないもの」である。液体と気体は分割できないから、この儀礼においては「コモン」として特権的な地位を占める。

旧い漢字に「觗」「觚」「觴」「觳」など「角」偏のものがあるが、どれも「さかずき」と訓ずる。動物の角は古代において身の回りに見出すことのできる最も「尖ったもの」であった。わざわざそれで「さかずき」を作ったのは、角でできた食器は下に置くことができないからである。自分の手を自由にしようと思ったら、「さかずき」は誰かに手渡すしかない。酒は共飲すべきものであって、私有になじまないということを古人は「さかずき」の形態を通じて教えたのである。

北米先住民が煙草の共喫儀礼を持っていたことは西部劇を見た人は誰でも知っている。それが儀礼の素材に選ばれたのは、気体は分割することができないからである。分割できぬものを共有するためには、共同体をかたちづくるしかない。だから共飲・共喫の儀礼は「友愛」の儀礼として機能したのである。

デオドラント社会というのは要するに「他人と気体を共有したくない」という欲望が過剰に亢進《こうしん》してしまった社会のことである。うるさく「パーソナル・スペース」を言い立てるのも、「おまえの吐いた空気をオレに吸わせるな」とか言うのも、いずれも「分割し得ぬものを共有する儀礼を通じて共同体を基礎づける」という、長い人類史にわたって続いて来た習慣が失われたことの徴候である。

喫煙という習慣も、隣の人の盃に酒を注ぐ習慣も、たぶん遠からず終わるだろう。イギリスで「コモン（共有地）」が終わったのは19世紀の「囲い込み（エンクロージャー）」によってである。村の共有地を資本家が買い上げて私有地にして、土地の生産性を上げることを資本主義が要請したのである。歴史の流れに逆らえずに「コモン」を失った村落共同体は解体し、農民たちは没落して、「鉄鎖以外に失うものを持たない」都市プロレタリアになり、産業革命に安価な労働力を提供して資本家たちを喜ばせた。

コモンの喪失は資本主義の要請である。衆寡敵《しゅうかてき》せず。土地であれ、空気であれ、水であれ、他者とものを共有するのは「嫌だ」という人間が資本主義社会においてマジョリティを構成してしまった以上、私たちにできることはもうない。この世の中でこれから先、人々はいったいどのような儀礼によって他者との友愛と「分割し得ないもの」の共同所有を基礎づけるつもりなのか、私にはわからない。そんなものは要らないと言うのなら、どうぞご勝手にと言う他ない。

（『中央公論』２０２０年９月号）

天神祭　船渡御の夜

毎年夏になると、高島幸次先生が主宰する天神祭の夜の船渡御《ふなとぎょ》にでかける。高島先生は大阪大学と大阪天満宮の文化研究所に籍を置く研究者で、ご専門は天神信仰である。仕立てる船は「天満宮文化研究所」の看板を掲げているので、ただ宴会をして花火を見ている船とはいささか趣が違って、微妙に学術的な船である。例年、乗船メンバーには学者と作家が多い（今年も60人の乗客のうち、芥川賞作家１人、直木賞作家３人、大学教員十数人というずいぶん偏った構成だった）。

私がこの船に乗ることになったきっかけは天満宮の敷地にある繁昌亭の高座に上がったことである。繁昌亭ではときどき学者や研究者を「色物」として高座に上げて、高島先生と桂春團治師匠が「いじる」という不思議なイベントをしている。私も何年か前に、高座に上げられ、要領を得ない話を30分ほどした。それがなぜかお客に受けて、以後毎年出演することになった。そうやって天神さまとご縁ができた。

お祭りというのは宗教行事であるから、土地の神さまにかかわりのある者が参加すべきであって、よそものが観光気分で懐手して出かけるのは「筋が違う」と思っていた。だから、これまでは自分が氏子である神社のお祭り以外にはほとんど行ったことがない。ところが、天神さまとご縁ができた。ご縁ができたら祭礼にはきちんとでかけないと信仰の「筋が通らない」。そういう点では割と頑固な男なのである。

船に乗るようになって今年で6年目になる。この船の最大の魅力は、伝説のフレンチ「ミチノ・ル・トゥールビヨン」の道野正シェフがお弁当担当で乗り込んでいるということである。贅沢な話である。お酒も持ち込み自由で、飲み放題。

今年は潮位のせいで出航が1時間近く遅れた。その間ずっとフレンチをアテにシャンペンやワインなどをぐいぐい飲んでいたので、船着き場を離れる頃には相当数がすでに「へべれけ」状態になっていた。そういう状態で行き合う船や岸の方たちと「大阪締め」をしたり、頭上から降り注ぐ花火に歓声を上げたり、文楽船や能船に見入るのである。酔客たちはMCのお伽衆《とぎしゅう》をおしのけて、マイクを握り、それぞれ好き勝手な話をしている。ほとんどカオスである。

でも、これでいいのだと思う。「聖地はスラム化する」というのは大瀧詠一さんの洞察であるが、同じく「宗教儀礼は必ず宴会になる」という命題も成立するのではないかと私は思っている。

霊的なものの臨在を感じると人々は、できるだけ俗なものをそれに対置させる。そうすることで、「人間が棲息《せいそく》できる程度には汚れているが、人間が敬虔《けいけん》な気分になる程度には浄化された、どっちつかずの空間」を創り出す。世界中の聖地はどこもそうである。それは釈徹宗先生との長きにわたる「聖地巡礼」の旅を経て、私たちが会得した経験知である。

多くの宗教では、厳しい行の後に必ず「直会《なおらい》」というものを行う。それまで禁じられていた飲酒や肉食や放談がそこではむしろ推奨される。過剰に浄化された心身のままで日常生活に帰還すると思いがけないトラブルを引き起こすことが経験的に知られているからである。

天神祭船渡御ではご神霊を載せた奉安船とまぢかに行き違う。そのときは人々もおしゃべりを止めて、きちんと拝礼をして柏手を打つ。これほどご神霊を近くに感じられる機会はふだんはない。だが、御霊の切迫によって一時的に霊的に緊張した場は再び宴会と哄笑《こうしょう》によって緩められる。その緩急の揺らぎを味わいながら、改めて、船渡御もまた実によくできた宗教的な装置だなと思った。

（２０１９年８月12日）

大瀧詠一さんを悼んで

大瀧詠一さんがいなくなってしまった。ずっといてくれると思っていた人が不意にいなくなってしまった。「喪失感」という言葉には今の自分の気持ちを十分には託すことができない。だから、追悼文の寄稿を依頼されたけれど、何をどう書いていいかわからない。

これまでも、大瀧さんについては何度も書いてきた。でも、それはいつも「これを大瀧さんが読む」ということがわかっていて書いたものである。大瀧さんについて僕が書いてきたものは、すべて読者に大瀧さんを想定して書かれている。大瀧さんについてよくご存じでない読者層に向けて、大瀧さんを紹介するような文章を書くときも、「大瀧さんはこれを読むに違いない」と思っていた。「うっかりしたことは書けない」という緊張感がいつもあった。

僕は自分について書かれたものをほとんど読まない。別に意図して避けているわけではなく、ぼんやりしているだけなのだが、大瀧さんは自分について書かれたことを絶対に見落とさない。それについては確信がある。以前、TOKYO・FMの「新春放談」で山下達郎さんも言っていたけれど、大瀧さんは「自分に関係がある」と思ったことについては1分以内くらいにメールをよこす人なのである。「いったいいつ寝てるんですか？」とそのときには山下さんがあきれたように嘆息していたけれど、ほんとうにそうなのだ。大瀧詠一さんは僕たち「ナイアガラー」にとってはまさに「遍在するまなざし」だったのである。

何を大仰なと思う人がいるかもしれないけれど、まさにそうとしか思えない個人的経験がいくつもあったからこそ、僕らはそう信じ込んでしまったのである。僕たちにとって、大瀧さんはほとんど「神」に等しい存在だったのである。

信仰を持つ者たちの前から「神」がいなくなるというのがどういうことか想像してほしい。それを「喪失感」とか「虚脱感」とか呼ぶことは無理だと思う。今僕は大瀧さんについて書いているわけだけれど、これは僕が生まれてはじめて書く「大瀧さんについて僕が書いたもので、大瀧さんがもう決して読んではくれない文章」なのである。

大瀧さんは「あらゆるところに目配りをしている人」だった。とりあえず、僕たちナイアガラーはそう思っていた。だから、「あらゆるものを見ている人」は当然ながら「いつまでもいる人」だと僕たちは無根拠に信じ込んでいた。もちろん、そんなはずがない。不意の病が大瀧さんを彼岸に拉致してしまった。

僕たちは「遍在するまなざし」を失った。いくつかの領域（とりあえずはアメリカン・ポップスと日本映画、もちろん、それだけではない）における現代日本で最も信頼できる「めきき」を失ってしまった。僕はこれから一体誰を基準にものごとの良否を判断したらいいのか途方に暮れている。同じような人たちがたぶん日本国内には数千人規模で存在する。

僕が大瀧詠一さんの音楽を最初に聴いたのは1976年の春のことだった。野沢温泉にスキー旅行に学生仲間で行き、さあ麻雀をやろうというときに、一人がカセットデッキを持ち出して「麻雀を始めるなら、大瀧詠一をかけるぞ」と宣言して『楽しい夜更し』をかけた。それが僕の最初の「大瀧詠一経験」だった。その前も深夜放送ラジオで、はっぴいえんどは何度も聴いていたはずだし、岡林信康のアルバムにはっぴいえんどがバックバンドで参加したカセットテープは兄が持っていて、車の中で聴いていた。でも、そこからは『ナイアガラムーン』に類する衝撃は受けなかった。たぶん、音楽そのものより、僕はその批評性の鋭さと深さに反応したのだと思う。

『ナイアガラムーン』に収録されたナンバーは1950年代から60年代にかけて、大瀧さんが小学生から高校生だった頃に、それこそ浴びるように聴いたアメリカン・ポップスをドメスティックに解釈したものである。コピーではないし、パロディでもない。膨大な音楽的記憶が大瀧詠一という個人の身体を通過してしみ出した何かである。

あるいは「歌枕」という文学上の現象に近いのかも知れない。歌人俳人は名所旧跡やいわくありげな場所を通りかかると、そこで一首一句詠む。そのようにして同じ場所で歌われた歌が蓄積する。だから、一番あとに来た詠み手は、そこで、それまでに詠まれた全ての先行作品をふまえて自分の歌や句を詠むことになる。自分のオリジナルな一節を「歌枕」に置いて、次に来る詠み手に託す。そうやって先行世代に対する敬意と感謝を表現するのである。気が遠くなるほど長い歌の歴史の連鎖の中で、先行者から受け取ったものに、自分の味を付け加えて、後継者に手渡す。音楽というのは、そういう「パスワーク」だという自覚を大瀧さんははっきりと持っていた（今僕は「一番あとに来た詠み手」という文字を記していて、それが大瀧さんが「栄一」という本名を「詠一」と表記を改めたときに一瞬脳裏に去来したイメージではないかという気がした。「気がした」だけで何の根拠もないけれど）。

１９７６年時点では、自分がどうして大瀧さんの音楽にこれほど強く惹きつけられるのか、まだ理由がわからなかった。とにかくもっと聴きたかった。とりあえずスキー場から戻るとすぐにレコードを買った。それからあとも新譜が出るたびにレコード店に走って、家ですり切れるほど聴いた。ラジオ関東で大瀧さんのＤＪ番組「Go! Go! Niagara」を放送していることを知ると、毎週深夜ラジオの前にみじろぎもしないで聴き入った。

当時の僕はそのラジオ番組で大瀧さんがかける楽曲も、そこで言及されるアーティスト名もほとんど知らなかった。でも、これが「自分のための番組だ」ということについてはなぜか深い確信があった。大瀧さんは僕（とあと何人かの「選ばれたリスナー」）のためにこの放送をしているのだと僕は思い込んでいた。そして、大瀧さんから「これらの音楽を愛し、これらの音楽について私が語っていることを理解できるリスナーになるように」というはっきり教化的なメッセージを僕は受け取っていた。

山下達郎さんとの「新春放談」、NHK‐FMでのDJ「日本ポップス伝」、「アメリカン・ポップス伝」。「スピーチバルーン」などの間欠的に行われるラジオ放送を録音したものを僕は車を運転しながらこの四半世紀ほとんどエンドレスで聴き続けた。おそらく延べ数千時間には達しているだろう。だから、「その人の話を聴いている」時間数でいうと、過去の人も同時代人も含めて、大瀧さんを超える人は存在しない。

耳から入った言葉は眼で読んだ文字と違って、身体に深く食い込む。だから、何かのはずみで大瀧さんがラジオで話していたのと「まったく同じ言葉づかい」で自分がしゃべっていることに気づくことがある。僕の話し方や、ロジックの立て方や、ある種の諧謔のかたちには、40年間聴き続けてきた大瀧詠一さんの「ヴォイス」が深々と刻み込まれていると思う（あまりに血肉化してしまっているので、自分ではもうどこまでが自分でどこからが大瀧さんなのか、識別しようがない）。

大瀧さんからの影響のほとんどはラジオの音声を介したものである。僕にとって大瀧さんは音楽家であるより以上にDJなのである（遺作となった「アメリカン・ポップス伝」で、「ロックンロールの時代はスターDJの時代でもありました」と語った大瀧さんの声が少しだけ感傷的に響いたのは、大瀧さんが自分自身を「歴史的使命を終えて舞台から消えてゆくDJ」に重ね合わせていたからではないかと思う）。

はじめてお会いしたのは2005年の夏だった。その前年に『ユリイカ』で「はっぴいえんど特集」が組まれた。そのときに、メンバー4人それぞれのロングインタビューが企画され、僕が大瀧さんの対談相手にという話が出た。震えるほどうれしいオファーだったけれど、大瀧さんサイドからは「インタビューは受けない」と断られた。そこでロングインタビューの代わりに「大瀧詠一の系譜学」という長文の大瀧詠一論を寄稿させてもらった。そこで僕はラジオ放送で大瀧さんが語ったこと（誰も文字起こししていないので、放送と同時に消えたはずの音声）をたくさん引用して、大瀧さんの音楽理論を祖述してみた。

CDでも、書籍でもなく、ラジオで聴いた大瀧さんの言葉だけを素材にして書き上げた僕のスタイルがたぶん大瀧さんの琴線のどこかに触れたのだろう、その次に同じ担当編集者が『文藝別冊』で大瀧詠一特集を企画して、もう一度ロングインタビューの相手に僕を推してくれたときには、大瀧さんからOKが出た。それが2005年の8月のことである。

僕以上の熱狂的なナイアガラーである石川茂樹君とふたりで山の上ホテルに大瀧さんをお迎えして、8時間半（！）にわたってお話をうかがった。石川君にとっても僕にとっても、生涯で最も幸福な8時間半だった。

それがきっかけになって大瀧さんに定期的にお会いするようになった。友人の平川克美君がやっているラジオ番組の収録に一年に一度お招きして、石川君と3人で大瀧さんを囲んで、思う存分おしゃべりをするという番組企画を大瀧さんが快諾してくださったのである。それが６年続いた。６年目の２０１２年暮れには大瀧さんの福生のスタジオを訪問して、そこで収録した。

数々の名作を生み出した大瀧さんのスタジオはナイアガラーにとっては「聖地」である。そこで大瀧さんの恐るべきコレクションを前にして（当然、そうなると思っていたけれど）全員が絶句した。「絶句する」以外にリアクションのしようがない「天文学的」なコレクションだった。平川君が「大瀧さん、これだけ情報を集めて、どうするつもりですか」と修辞的な問いを発したのに、大瀧さんは「ＣＩＡに負けられないから」と笑って答えた。あれはなかば本気だったのだろうと思う。いくつかの分野については、政府情報機関を超えるくらいに「世界で一番詳しい」人間であろうとする気持ちが大瀧さんにはあったし、事実そうだった。

去年の暮れに７回目の収録のための日程調整のメールを平川君が送ったときに大瀧さんから「去年が最後のつもりだった。だからスタジオにお出で頂いたのである」という返事が来た。「始まりのあるものは、いつか終わる」という言葉が書き記してあったそうである。いかにも大瀧さんらしいと思った。僕は大瀧さんに定期的に会えなくなったせいでがっかりするより、なんだかうれしくなってしまった。先ほども書いたとおり、大瀧さんは「あらゆるものを見ている」わけで、僕にしてみたら、そばにいてもいなくても、いるのである。

僕が大瀧さんから生涯に受け取ったメールは数えてみたらちょうど20通だった。わずか20

通。それでも、大瀧さんはいつでもすぐ横にいるような気がしていた。

大瀧さんは僕がツイッターやブログに書いたものをずっと読んでくれていて、「日本でこんなことを知っているのは大瀧さんくらいしかいないだろうな……」と思うトピックに言及すると、ほんとうに数分以内にメールが来た。だから、ナイアガラーにとっての最大の名誉は、「日本でこんなことを知っているのは大瀧さんくらいしかいない」ことを自力で発見して、大瀧さんからのメール認知を得ることである。僕は二度その栄誉に浴した。

ひとつは2年前。ニール・ヤングの"Till the morning comes"は僕の耳にはどう聴いても「死んだはずだよお富さん」という春日八郎の『お富さん』のフレーズそのままに聞こえる。果たしてニール・ヤングが春日八郎を聴いた可能性ってあるのだろうかとそのときブログに書いた（そう思ったのは1970年のことなのだが、言葉にするまで42年逡巡のときがあったのである）。

そのときは大瀧さんからすぐにメールが来て、アーサー・ライマン・バンドの演奏するOtomi san の映像が YouTube 上にあると教えてくれた。見ると、たしかに『お富さん』を日本語まじりで長々と演奏していた。だが、大瀧さんはどうして半世紀も前のアメリカの売れないバンドのテレビ演奏画像の存在を知っていたのか。もしかすると、大瀧さんもあるとき「ニール・ヤングのあれは、もしかすると……」と思って、1945年カナダ生まれのロック歌手が9歳のときに日本で大ヒットした『お富さん』をどこかで聴いていた可能性について網羅的な調査を行ったのではないだろうか。大瀧さんが「網羅的」に調べるということは、その語の辞書的な意味において「網羅的」ということである。取りこぼしなしに、ということである。そして、『お富さん』の印象的なフレーズをニール・ヤングが聴き取るためには、テレビでアーサー・ライマン・バンドの演奏を見る以外には可能性がないという結論に達したのである（その結論に達するまでにどれほどの時間を要したか、僕には想像もつかない）。でも、それだからこそ、僕が「もしかして……」と書いたときに文字通り電光石火の速さで「ニール・ヤングがこのテレビ放送を見ていた、という証言が得られれば、内田説にも信憑性が……。（笑）」というメールを送ってくれたのだと思う。大瀧さんがここで「内田説」と書いたのは、大瀧さんが一度仮説を立てて、その後放棄した膨大な「大瀧説」のひとつに僕が触れたことへの「ごほうび」だったのだと思う。

もうひとつは、仕事をしながらBGMにデイブ・クラーク・ファイブを流していたら、『ワイルド・ウィークエンド』のイントロ部分に聞き覚えがあった。顔を上げて、もう一度聴いてみたら、大瀧さんが作曲した『うなずきマーチ』の冒頭のビートきよしの音程のいささか甘い独唱部分とそっくりなフレーズだった。二つの音源をYouTubeで探してきてツイッターに貼り付けたら、大瀧さんからすぐにメールが来た。「この二つを結びつけられたのは内田さんが地球上で最初の人です。」

つまり、大瀧さんは『ワイルド・ウィークエンド』を自作の「歌枕」にカウントしていなかったのである。それを知らされて、ちょっと残念ですと書いたら、すぐにまた返事が来た。

「〝残念〟ではなく、本当に見事な〝新解釈〟なのですよ！あの曲の元ネタはThe Rivingtonsというグループの『Papa-Oom-Mow-Mow』です。これはポップス系のナイアガラーは周知のネタですが、作る際にメロディーが全く同じではマズイので〝変奏〟したわけですね。それがまさかＤＣ５の〝ワイルド・ウィークエンド〟と同じになっているとは！今日の今日まで気がつきませんでした。確かに同じですね！こりゃ大笑い！ＤＣ５は何万回と聞いているのでどこかにそれがあったのかもしれません。しかしそれにしても〝ビートきよし〟が〝マイク・スミス〟とは！！！これは内田さん以外に提唱できない〝超解釈〟です。」

大瀧さんからもらったメールの中でこれほどうれしかったものはない。そのとき、一瞬だけ、大瀧さんと同じ「歌枕」に立って、同じ方向を見ているような気がした。

ご冥福をお祈りします。


（月刊『東京人』２０１４年４月号）

追悼・橋本治

橋本治さんが亡くなった。

今日（2019年1月29日）の15時9分だと伺った。

私にとっては20代からのひさしい「アイドル」だった。最初に読んだのは『桃尻娘』で、「こんなに自由に書くことができるのか」と驚嘆して、それからむさぼるように、橋本さんのあらゆる本を読み漁った。

何年か前についに念願かなってお会いすることができて、『橋本治と内田樹』という対談本を出すという幸運に恵まれた。

その後、『私家版・ユダヤ文化論』で小林秀雄賞を受賞したときには、橋本さんが選考委員を代表して、「授賞の理由」を語ってくれた。20代からのあこがれの人が、僕の作品を解説してくれたのである。

謝辞のためにマイクの前に立ったときに「今、橋本治さんが、授賞の理由についてお話ししてくださいましたけれど、これはアマチュアバンドが自費出版で出したCDが音楽賞をもらったときにジョン・レノンがその曲のコード進行について解説してくれたようなものです」というよくわからない比喩を使って感動を伝えたことがある。

橋本さんにははかりしれない恩義を感じている。

なにより「これくらい自由にやっても平気」ということを教えてくれたことである。いわば、橋本さんが地雷原をすたすた歩いていって、振り返って「ここまでは平気だよ。おいで」と言ってくれたようなものである。橋本さんの通った後なら大丈夫。あそこまでは行っても平気というのは後続するものにとってはほんとうに勇気づけられることだった。

そういう意味では橋本治さんは、大瀧詠一さん、私の兄とともに、私の大切な「先達(mentor)」だった（奇しくも3人とも1948年生まれである。2歳年上のその3人の「悪い兄」たちはみな鬼籍に入ってしまった）。

追悼の意を込めて、昔書いた橋本さんの本の解説（『明日は昨日の風が吹く』収集、集英社、2009年）を掲載する。

説明する人──橋本治

橋本治さんの本を解説や書評をよく頼まれる。

90年代のなかば、関西に来て5年くらい経った頃に、東京の出版社からの原稿の注文がぱたりとなくなったことがあった。会って打ち合わせをするのが面倒な距離に引っ越したし、もともと失って惜しいというほどの書き手でもないから……ということでご縁が切れたのだと思う。それにもかかわらず、例外的に東京から回ってくる仕事があった。それが橋本さんの新刊の書評であった。

思いあまって、書評誌の編集者に訊ねてみた。

「どうして、僕なんかに書評頼むんですか？　そちらにいくらも書く人がいるでしょう」

意外なことに、その編集者は「いないんです」と答えた。

「頼んでも断られちゃうんですよ」

ずいぶん正直な方だったと思う。たしかにそうでなければ、私になんか原稿を頼んでくるはずがない。

そのときはじめて日本の文壇論壇の方々は「橋本治が苦手」という事実を私は知ったのである（それまで気づかなかったのもどうかと思うが）。

その後、橋本さんにお会いしたときに、驚くべき事実を橋本さんご自身から聞いた。『窯変源氏物語』を書き終えたときに、ある全国紙の学芸部の記者が橋本さんにインタビューをしようと思って自社のデータベースを調べようと「橋本治」で検索をかけた。すると、過去その新聞の学芸欄には橋本さんに言及した記事が一つもなかったそうである。

すごい。

なぜ日本の批評家たちは（学芸部の記者までも）橋本治を解説することをかほど忌避するのか。本書の解説として、それについて少し書きたいと思う。

まず批評についての一般論から。

批評家たちは、「書かれた作品」に先立って、作家には何か「言いたいこと」があると考えている。作家には、政治的主張であれ、審美的意見であれ、人間いかに生きるべきかについての教訓であれ、とにかくまず何か「言いたいこと」があり、それを小説や評論や詩歌を通じて迂回的に（場合によっては無意識的に）「表現」している。批評家はそういうふうに考えている。

それゆえ、批評家たちの仕事は、作品の表層を突き破ってその源泉に遡行し、純粋状態の「言いたいこと」にたどり着くこととなる。批評家が「書き手はこれを書くことによって何を言いたかったのか」を明らかにすれば批評家の「勝ち」、何を言いたいのか言い当てられなければ批評家の「負け」。そういうルールで批評というゲームは行われている。

でも、ただ作品をじっと見つめているだけでは作家が「言いたいこと」はわからない。「言いたいこと」を言い当てるためにはさまざまな「作品外的」データとの突き合わせが必要である。性別、年齢、国籍、家族構成、信仰、階級、イデオロギー、性的嗜癖、疾病歴、交友関係などなど。そして、これらの「作品外的データ」と作品がうまい具合に結びつけられると（例えば、「書き手の無意識な性差別意識が人物造形にはしなくも露呈している」とか、「書き手の階級的偏見がこのようなプロットを要請した」とか)、批評家は満足げな顔をする。そういう批評家には橋本治のような書き手は論じられないだろうと思う。そして、残念ながら「そういう批評家たち」が私たちの国の文壇のマジョリティを構成しているのである。彼らが橋本治を論じないのは「橋本治は何が言いたいのか」を言い当てることができないからである。彼らの採用しているルールからすれば、それは彼らの「負け」になる。

現代国語の試験じゃあるまいし、「作者が言いたいこと」なんかどうでもいいだろう。そんなこと気にせずに、どんどん読んで、どこがどう面白いのか読者の立場から愉快に談じればいいと思うのだが、批評家たちはどちらかというと不愉快そうにテクストを論じ、「それは読むに値しない」という評価を下すときだけ少し高揚感をにじませる。それは彼らが作品に「勝った」しるしである。

半世紀ほど前、ロラン・バルトはこういう批評的態度のことをまとめて「大学批評」(critique universitaire)と呼んだことがある。

大学の先生の仕事は学生に知識を授け、その習得の程度に応じて成績をつけ、卒業証書を出すことである。だから大学批評は学生に「難解でかつ大量の知識」の習得を要求することになる。別に意地悪でそうしているわけではなく、大学というところは、「教師がすでに有しており、学生がいまだ有してない知」だけが学ぶに値するものであるという前提で教育が行われているから仕方がないのである。だから、大学の先生が批評をすると(あるいは批評家が大学の先生になると）、彼らは学生たちにとりあえずできるだけ多くの「作品外データ」の収集を要求する。この書き手の家族構成はどうであったか、幼児期をどう過ごしたのか、当時の階級情勢はどうであったのか、国際関係はどうであったのか、性規範はどうであったのか……そういうことを知っていないと、「書き手が言いたかったこと」は言い当てられないぞ、と大学批評家は脅かす。

大学批評家は、作品をただしく理解するためには、大量の作品外データを集積せねばならないと告げる。しかし、作品外データというものは原理的には無限に存在する。「小学生のときに両親が離婚したことのトラウマ的体験と重ねあわさなければこの作品の意味はわからない」とか「作家が幼稚園児のときに犬に嚙まれた事実を抜きにこの作品は理解できまい」というようなことは、言おうと思えばいくらでも言えるからである。そして、大学批評を学んだ学生たちは、どんどん「重箱の隅をつつくような」トリビアルな情報の探索に不可逆的にのめり込んでゆくことになる。

だから大学批評はダメだなどと無法なことを私は申し上げているのではない。大学批評にだって読んで面白いものはあるし、私だってフランス文学の研究者だった頃にはずいぶん書いたものである（書いている本人はけっこう楽しいし）。

でも、大学批評では橋本治のような書き手は論じることができない。橋本治は要するに何が言いたいのかとか、橋本治はどういう作品外的理由によって『アストロモモンガ』とか『シネマほらセット』とかを書くようになったのかというような問いに答えられる人はどこにもいないからだ。

橋本治本人も含めて。

現に、本書の冒頭にははっきりとこう記してある。

「私の場合、『よく分かんないからこの件で本を書こう』というのがとっても多い。分かって書くんじゃない。分かんないから書く。体が分かることを欲していて、その体がメンドくさがりの頭に命令する――『分かれ』と。」（14頁）

ご本人がこれだけすっぱりとみずからの作品の生成の秘密を解き明かしているのだから、ほとんど付け加えることはないのだけれど、あえて贅言を弄するならば、次のようなことになる。

橋本さんは書く前に「言いたいこと」があるので書いているわけではない。自分が何を知っているのかを知るために書いているのである。

だから、橋本さんの書くものは本質的に説明である。橋本さんの「体」が橋本さんの「頭」にもわかるように、「あのね、これはね……」と噛んで含めるように説明しているのである。自分で自分に向かって説明しているのである。

きちんと説明をするためにはいくつか守るべきルールがある。

第一に、そこに「自分の意見」を混ぜてはいけない。主観的な好悪や良否の判断を混ぜ込むと、説明は濁って、わかりにくくなる。

第二に、「自分が知っていること」は当然読者も知っているはずであるという前提を安易に採用しない。「周知のように」と冒頭に告げてから、読者の知らないことをずらずら平気で書くような人間は説明には向かない。

きちんとした説明をするためには、自分の主観的な判断を織り込まないだけでなく、「自分が知っていること」をとりあえず「かっこに入れる」ことができなければならない。自分の主観的判断を自制することのできる人は少なからず存在するが、「自分の知っていることを知らないことにする」という技術を駆使できる人は少ない。きわめて少ない。

私はこの技術を「情報を抜く」と呼んでいる。橋本さんは「情報を抜く」技術において、現代日本にまったく類例を見ない、卓越した存在であるというのが私の理解である。

喩えて言えばこういうことだ。「1989年に何が起きたのか」ということを正確に説明しようとしたら、1990年以降に起きた出来事のことを忘れる必要がある。そうしないと、1989年のリアルタイムで人々が感じていた未来の不透明感が追体験できないからである。「これからどうなるかわからない」という未来の未知性を勘定に入れないと、「あとから見ると理解しがたい奇矯なふるまい」をどうして私たちがあれほど大まじめに演じていたのか、その消息がわからない。

橋本さんにはこの「あとから見ると理解しがたい奇矯なふるまい」を理解することへの強いこだわりがある。『二十世紀』や『'89』のような「年表」系の作品が橋本さんの著作リストにはいくつも含まれている（本書もその一つである）が、このようなタイプの書きものを定期的にかつ大量に書いている作家は橋本さん以外に日本にはいない。

なぜ、こういうものをたくさん書くのか。書けるのか。

それは橋本さんが、指定されたある歴史上の時間に想像的にタイムスリップしたときに、それ以後の歴史的出来事についての情報を自身の脳から「抜く」ことができるからである。そうしないと、ほんとうにそのリアルタイムを呼吸することができない。その時代の、その社会にみなぎっていた空気やざわめきや匂いや不安のようなものを、そのまままっすぐ体験することができない。

歴史的にものを見る人にはこの技術が不足している（というより、そのような技術の必要を認めない人の方が多い）。歴史的にものを見る人は、過去現在未来を貫く「鉄の法則性」を見出そうとする。だから彼らは「起きたこと」しか見ない。

でも、リアルタイムで私たちの意識や行動を支配しているのは、「起きたこと」ではなく、「これから起きそうなこと」である。「これから起きそうなこと」への期待と不安、欲望と恐怖である。でも、「これから起きそうなこと」として私たちの脳裏に取り憑いていた未来予測のほとんどは実現しないまま消える。

人々が「起こりそう」だと思っていたが、「実際には起こらなかったこと」、歴史的にものを見る人はそれには一顧をも与えない。彼らは「実際に起きたこと」だけが起きるべきことであり、起こる必然性があったと考えるからである。

でも、それは違う。

実際に起きたことは必ずしも起きるべくして起きたこととは限らない。それとは違う出来事が起きてもよかったのだが、それはたまたま起きなかった。理由はよくわからない。そういうものである。

橋本さんは、この「未来が未知であった時点」に想像的に遡行する能力において卓越している。そして、「それから後に起きたこと」を一時的に記憶から消すことができる。そういう人にしか、歴史上のある時点のリアリティというものは再現できないと私は思う。

橋本さんのライフワークである古典の「新訳」も構造的には同じ作業である。橋本さんは作品ごとに、ほんとうに平安時代や江戸時代に行ってしまう。そして、そのときのリアルタイムの人々の身体感覚や生活実感に同調して書く。

『窯変源氏物語』についてうかがったとき、橋本さんは『窯変』を書き始めるまで、「源氏物語」を通読したことがなかったと聞いた。文学研究者だったら、「ありえない」と言うだろう。ふざけるなと怒り出すかも知れない。けれども橋本さんの場合なら、むしろそうでなければならなかったのだと思う。読んだことがない物語だからこそ、物語の登場人物たちがそれからどうなるのかわからないまま読み進んでいるからこそ、登場人物たちはリアルで、複雑で、生々しい厚みを持って橋本さんの前に登場してきたのだと思う。そのリアリティを活写することを橋本さんは望んだのである。

『小林秀雄の恵み』もそうだ。「小林秀雄がいて、小林秀雄が読まれた時代の、日本人の思考が知りたい」と思ってこの本を書き出した橋本さんは、それまでに小林秀雄の著作を『本居宣長』しか読んだことがなかった。この本を書いたときも小林秀雄について書かれた膨大な先行研究を橋本さんはたぶん一冊も読んでいないと思う。橋本さんは小林秀雄が日本文学史上にどういう意味をもつ存在であるかというようなことには興味がない。興味があるのは、書きつつある小林秀雄をリアルタイムで駆り立てていた「何か」に同調することだけである。書きつつある小林秀雄が見ていたもの、感じていたもの、とりわけ小林秀雄が小林秀雄自身に対して説明しようとしていたことを感知することに橋本さんは強い興味を抱いた。

橋本さんはそういう点ではたぶんいつも自身の「同類」を探しているのだと思う。自分の知らないことを自分自身に向かって説明することに長けた書き手。

例えば、三島由紀夫はそういう書き手だった。

説明がものすごく巧い作家。たしか、これは橋本さんが三島由紀夫を評したときに使った形容だと思う。

『豊饒の海』第三巻には本多繁邦が唯識論について蘊蓄《うんちく》を傾ける箇所がある。プロット上それほど詳しい説明を要するトピックではないのにもかかわらず、三島の阿頼耶識《あらやしき》についての説明は数頁に及び、その説明のあまりの巧みさは私にとってはほとんど感動的だった（橋本さんは「なにがなんだか分からない」と書いているけれど）。これは三島由紀夫が自分自身に向かって噛んで含めるように説明した箇所なのだと思う。だから、ただの仏教用語解説であるにもかかわらず、その細部に至るまでが愉悦的なのだ。

書き手は「自分が知っていること」をではなく、「今知りつつあること」を、遅れて知りつつある読者に向けて説明するときに、最も美しく、最も論理的で、最も自由闊達な文章を書く。橋本さんはどこかで経験的にそのことを知った。

だから、自分の中に「リアルタイムで知りつつあるもの」とそれを「遅れて知りつつあるもの」の水位差のようなものを設定すれば、言葉は無限に湧出する。そんなふうにして橋本さんは「たぶん自分で自分にきちんと説明できると思うけれど、これまで一度も説明したことがないこと」をそのつどの著作の素材にしてきたのである。

『「三島由紀夫」とはなにものだったのか』（新潮文庫）のあとがきに、橋本さんはその本を書くことになった経緯をこう書いている。

「自分とは関係がない。だから、『分かりたい』という気にはならない。しかし、『分かろう』

と思えば、それが可能になるだけの用意はある──二〇〇〇年になってその人のことを『書いてもいい』と思った私にとって、三島由紀夫とはそういう存在だった。」

本書で、橋本さんが扱っている多くのトピックについても同じことが言えると思う。農業やオリンピックや金融危機は、どれも橋本さんにとって「関係がない」ことである。だから、別に「分かりたい」とは思わない。けれども、「分かろう」と思えば、それが可能になるだけの準備はある、そういう論件である。そして、「分かろうと思えばそれが可能になる」のは、橋本さんの「体」が先駆的な仕方ですでにものごとの本質を理解しているからである。あとの仕事は、「頭」に向かって情理を尽くして説明するだけである。

だから、本を読めばわかるとおり、橋本さんの「説明」には手抜きがない。他人が相手なら、「めんどうくさいから少し話を急がせよう」とか「引証はこの程度で結論に進むか」というようなこともあるかも知れない。でも、自分が相手なのである。自分相手に、説明の手を抜くということはありえない。自分が納得しなければ話が終わらないのだから。

つい長々と書いてしまったけれど、どうして批評家たちは橋本治に手が出ないのか、その理由について考えているところだった。どうしてそういうことになるのか、ここまでの説明でだいたいはおわかりいただけたかと思う（私はだいたいわかった）。

橋本さんは「説明する人」である。「主張する人」ではない。批評家たちは「主張する人」の（あるいは隠され、あるいは露出している）「主張」を取り出して、それについて語るのが仕事である。でも、「説明する人」については語ることがないのである。

『「三島由紀夫」とはなにものだったのか』という本は三島由紀夫についての説明である。この本を読むと、三島由紀夫がなにものであったかについては実によくわかる。けれども橋本治はこの本を書くことによって何を言いたいのかと問われても「三島由紀夫のことをくわしく説明しようとしています……」という以外に答えようがない。

そうやって考えてみると、『桃尻娘』は「高校生とはなにものか」についての説明であり、『窯変源氏物語』は「王朝人とはなにものか」についての説明であり……以下、橋本さんの書くものはすべて説明なのである。そればかりか、橋本治はなにものだったかについても、橋本さんはちゃんと本を書いていて、『橋本治という行き方』とか『橋本治という考え方』という本まである。これを読むと、橋本治という人がどういうふうに考えて、書いているかくわしく説明してある。

いったい批評家たちはこれに何を付け加えればよいのであろう。橋本さんが自作について語ったり、自分の書き方の特異性について説明したりしている文章に無意識的に伏流する「トラウマ」や「差別意識」などでも発見できればよいのであろうが、もしそんなもののかすかな徴候でもあろうものなら、誰よりもはやく橋本さん自身がそれを（大喜びで）分析しているはずであるから、そのような「落ち穂拾い」的仕事さえ批評のためには残されていないのである。
これから何年か（何十年か）したあとに、本格的な「橋本治論」や「橋本治研究」を書く批評家や文学史家は登場してくるのだろうか。生きているうちに読めるものならぜひ読ませていただきたいと思う（橋本さんだって読みたがっているはずである）。

（２０１９年１月29日）

加藤典洋さんを悼む

加藤典洋《のりひろ》さんが亡くなったのは2019年の5月16日である。その後に『小説トリッパー』に追悼文を寄せた。ブログに上げたつもりでいたが、上がっていなかった。大晦日に今年の10大ニュースを書いているときに橋本治・加藤典洋という二人の先輩のことを書いているうちに、上げていなかったことを知った。半年遅れだけれど、掲げておく。

加藤さんがご病気だということは、去年の11月に高橋源一郎さんから伺った。ちょうど高橋さんが明治学院大学を退職されるに当たって連続対談を企画していて、僕の次の回に加藤さんが登壇される予定だった。僕との対談の終わりに、高橋さんが「加藤さんがご病気で次回は中止になりました」とアナウンスした。少し前までは対談に出るつもりでいられたのだから、それほど深刻な病状ではないのだろうと思った。とりあえず、加藤さんにツイッターで「お大事に」とお見舞いの言葉を送ったら、すぐに「ありがとう」という短いご返事が来た。笑顔の「顔文字」が付されていた。

加藤さんは養老孟司先生が毎年主催される新年会（僕は勝手に「野蛮人の会」と呼んでい

た）のメンバーでもあったので、次はそのときにお会いできるだろうと思っていたが、このときも欠席された。養老先生が、「加藤君、あまりよくないみたいだ」と誰にともなくつぶやいて、少しのあいだ座がしんと静まった。

でも、4月の末には加藤さんから『9条入門』という新刊が届いた。日本国憲法制定過程を徹底的に調べ抜いた労作である。一読して、僕は『敗戦後論』以来の衝撃を受けた。加藤さんはあれからも足を止めることなく、『戦後入門』、『9条入門』と一連の論考を通じて、憲法と天皇制についての根本的で困難な問題を深く追い続けていたのである。

その巻末には、憲法制定以後の、安保改定と自民党単独政権の時代から現在にいたる日本戦後史について「その詳しい歴史は、おそらく次の本で書くことになるでしょう」と予告されていた。それを読んでほっとした。よかった、まだ次がある。それくらいにはお元気なんだ、と。そして、体調不良の中で、病身に鞭打って調べものを続け、病室で執筆を続けているはずの加藤さんにエールを送る意味で、自分のブログにこの新刊の重要性を論じた長文の書評を掲げた。結果的に、それが僕が生前に加藤さんについて書いた最後の文章になった。もし、加藤さんがまだネットで情報検索できるほどの体力が残されていたら、読んでくれていたかも知れない。そうであったらよいのだが。

でも、不思議な因縁だ。僕の物書きとしてのデビュー作である『ためらいの倫理学』は加藤さんの『敗戦後論』についての長文の書評を核として編まれた評論集である。そこで僕は加藤さんの所論を敷衍《ふえん》して、「歴史主体」論争において加藤さんを支持する立場を明らかにした。『敗戦後論』は加藤さん自身によれば「悪評が大部分」の苛烈な批判にさらされたテクストだったので、僕はその時点では例外的少数に属していた。

その『ためらいの倫理学』を加藤さんはある地方紙の書評欄で取り上げてくれた。はじめてお会いしたときにそのことを告げて、「内田君のことを日本で最初に書評で取り上げたのはたぶん俺だよ」とちょっとうれしそうな顔をしていた。それが15年前のことである。

それからも加藤さんは僕の書き物をよく批評してくれた（僕も新刊を読むたびにブログに書評を書いた）。加藤さんの『僕が批評家になったわけ』を読んでいる途中で、いきなり「内田は」が出てきて、僕の『他者と死者』が俎上《そじょう》にあげられて、椅子から転げ落ちそうになったこともあった。

2年前の夏に長野で講演と対談をしたのが、今から思えば、ご一緒した最後になったのだが、そのときは加藤典洋さんが「どんなことが起こってもこれだけは本当だ、ということ激動の時代と私たち」というお題で、僕が「帝国化する世界・中世化する世界」でそれぞれ1時間の講演をしてから、対談した。

加藤さんは「どんなことが起こっても『これだけは本当だ』と言い切れる」腹の底にしっかりすわっている身体実感と、「こういうふうに考えるのが正しい」という叡智的な確信の間には必ず不整合が生じると言い、それを二階建ての建物に喩えた。身体実感が一階部分、知的確信が二階部分に当たる。その二つが一致しているように思えるときもある。けれども、歴史的与件が変わると、二階部分が現実と齟齬《そご》するということが起きる。

例えば、幕末の尊王攘夷運動における薩長と水戸藩では、水戸藩はイデオロギー的にはすっきりしていたけれど、現実と齟齬していた。薩長はイデオロギー的には支離滅裂だったけれど、現実に適応しようとはしていた。結果、現実に適応して「尊王攘夷」から「尊王開国」に「変節」し、「転向」した薩長が政治的勝利を制した。イデオロギー的に「すっきりしている」ことはその組織や運動が持ちうる現実変成力と相関しない。これは思えば『敗戦後論』以来の変わることのない加藤さんのスタンスだったと思う。

「一階の批評」というのは加藤さんの用語である。二階の叡智的な高みから見下ろすと、一階は臆断の渦巻くカオスに見え、地下室の無意識の暗闇から見上げると、一階の住人が信じている秩序や世界の適所全体性の虚妄が透けて見える。でも、加藤さんはあえて一階にとどまることを選んだ。そこがわれわれの生き死にする現場だからである。加藤さんはこう書いている。

「筆者は軟弱な人間である。謙遜ではなく、軟弱であることを価値と考えている人間である。この一階だけがすばらしいといっているのではない。一階にいるだけでは問題は解決しない。人はいまそれですむ世界には、生きていない。時に二階に上り、また地下に降りることも必要となるだろう。それどころか、一階の床が抜け、地下に落下することすらあるかもしれない。

しかし、たとえそうなったとしても、つねに一階の視点を失わないこと。そのことが大事ではないだろうか。（…）ふだんの人間がふだんに感じる場所だからといって、そこに居続けることがそんなに簡単でないのは、ことばをもつことが、ふつうは、二階に上ることであり、でなければ、地下室に下ることだからである。ことばを手にしてしかも一階の感覚をもちつづけることは、そうたやすくない。」（『僕が批評家になったわけ』岩波書店、２００５年、２４６頁）

「一階の感覚」を持ち続けながら地下深く、地上高く思量し、表現すること。それが加藤さんが選び取った行き方だった。自分の限界をわきまえ、自分の弱さ、脆さを引き受けて、その中に踏み止まって、できる限りのことをする。その「できる限りのこと」がどれほどのものであり得るか、加藤さんは身を以てそれを示した。

大瀧詠一、橋本治に続いて、大切な、ほんとうに大切な先達を失ってしまった。

（『小説トリッパー』２０１９年夏号）

吉本隆明１９６７

鹿島茂先生の『吉本隆明１９６８』をたいへん面白く読んだ。吉本隆明の解説書としては、これまで書かれたものの中で最高のものの一つだと思う。これから吉本隆明を読む人にとっては絶好のブックガイドであるし、これまで吉本を久しく読み込んできた人にとっても「なるほど、あれは『こういうこと』だったのか」と腑に落ちる解釈がいくつもあると思う。本書が今後ひさしく吉本隆明研究の必須のレファランスとなるだろうと私は確信している。

というくらいで「帯文」としては十分なのだが、頼まれたのは「解説」なので、話は少し長くなる。鹿島先生がどうしてただ「吉本隆明研究」とか「吉本隆明論考」ではなく「吉本隆明１９６８」という年号入りのタイトルを撰したのか、その理由について以下にひとこと私見を述べて解説に代えたいと思う（今、「鹿島先生」という表記が気になった方がいると思うけれど、これはご本人にお会いするとそう呼んでいるので仕方がない。いきなり「鹿島は」とは書けません）。

１９６８年は鹿島先生が大学に入ってはじめて吉本隆明と対峙《たいじ》した年である。私の場合はそれが1年前の1967年なので、上のような題になった。私もまた吉本隆明と少年のときに出会って、人生が変わった人間のひとりである。
私は高校生から大学院生の頃までは吉本隆明の熱心な読者だった。でも、ある時期から読まなくなり、95年の阪神の大震災のときに高校時代からの蔵書をまとめて処分した際に、埴谷雄高や谷川雁や平岡正明の本といっしょに吉本の本も捨ててしまった。けれども、その後またふと読みたくなって、結局吉本隆明についてだけは捨てた本を全部また買い集めた。それは父が2001年に亡くなり、その後父のことを回顧するにつれ「戦中派の人たちは、戦前の自分と戦後の自分を縫合するためにずいぶん苦労をしたんだろうな」ということがひしひしと感じられるようになったからである。そして齢耳順《じじゅん》を超えて読み返しながら、私もまた鹿島先生と同じように「ああ、おれはこの歳になっても、吉本主義者であったか」と深く感じ入ったのである。

鹿島先生と私は1歳違いで、鹿島先生の方が1歳年長である。鹿島先生は現役で東大に入学したが、私は69年に入試中止のあおりをくらって一浪し、70年に入学したので、学年は2つ下になる。鹿島先生は入れ違いに本郷に進学されたはずなので、キャンパスで遭遇したことはなかったと思う。でも、ほぼ同時期に同じキャンパスの同じ空気を吸ったことは間違いない。だから、この本に鹿島先生が書かれている回想については、細部まではっきりとしたリアリティをもって私も思い出すことができる。

吉本隆明は鹿島先生や私の世代に圧倒的な影響力を有していた。もちろん、それは20歳前後の少年たちが吉本の思想的営為の独創性が理解できたことを意味しない。「『吉本はすごい』と感じてはいましたが、どこがどうすごいのか、それを説明することは不可能だったのです。いいかえると、自分の所有している語彙と観念と関係性に、吉本特有のそれらを翻訳・転換してみせるということができなかったのです。」(278頁)と鹿島先生も書かれているけれど、私の場合もまったく同じである。

それでも、私は一読して、「この人が何を言おうとしているのかを理解しないと日本の政治的状況の本質に触れることはできない」ということまではわかった。鹿島先生もそうだったと思う。他の政治学者や政治思想家たちの書き物については、私はそれに類する感懐を持ったことはなかった。難解な術語や聞いたことのない固有名詞をまぶした評論を読んで、どうしてもう少しわかりやすく書けないのか(それほど頭が良いなら、その頭の良さをどうしてわかりやすく書くことには使えないのか)とうんざりすることはあっても、この人が書いていることを理解できないと先がないという焦燥感を覚えたことはない。そんなことを思わせた書き手は、私にとっては日本人では吉本隆明ひとりである。

私が最初に手にした吉本隆明の本は『自立の思想的拠点』で、1967年、高校2年生のときだった。なぜその本を買ったのか、記憶は定かではないが、周りの誰かが推薦したわけではなかったと思う。私が通っていたのは都立日比谷高校という進学校で、そこには鹿島先生が書いているような「自分が日本人だという要素をいっさい考えに入れずにヴァレリーやサルトルなどの抽象的思考と戯れることのできるような人」（352頁）がいくたりもいて、彼らが校内で閉鎖的な知的サークルをかたちづくっていた。彼らがときおり「ヨシモト」という人名を口にすることがあったが、そのときに一瞬微妙に苦い表情を浮かべることを私は見逃さなかった。どうやらヨシモトという人はこの「知的上層階級」の諸君にもうまく呑み込めないらしいということはわかった。彼らを「出し抜く」ためには、この人の本を読むのが捷径《しょうけい》ではないかと私は考えた。子どもながら直感の筋は悪くない。だから、ある日書店でその名前を見たときに、深く考えずに購入したのである。

もちろん、理解できなかった。そこで論じられている政治潮流のことも、固有名詞として言及されている人の名前も私は知らなかった。でも、この人は私が緊急に理解しなければならないことを書いているということはありありと実感された（同じようなことはそれから15年後にエマニュエル・レヴィナスを読んだときにも感じた）。

書いてあることが理解できなくても、そこに私宛てのメッセージが含まれており、それは私が（政治的に、あるいは市民的に）成熟しなければ読解できないものだということはわかるということがある。メッセージのコンテンツとアドレスは別次元に属する。そして私たちにとってより緊急なのはもちろん宛先なのである。

はじめは先輩たちを「出し抜く」ために読み始めた吉本隆明だったけれど、すぐにそのような相対的な知的優位性に立つことはどうでもよくなった。吉本の言葉は鋭利な刃物に似ていた。そして、それを突き立てる先は「論敵」たちであるより先にまず自分自身だったからである。

高校2年の少年がそのような鋭利な刃物を手にしてよかったのだろうか。今から考えてみると、よかったのか、よくなかったのか、よくわからない。

高校に入った時点では、私は大学を出て、法曹か新聞記者か文学研究者になるという「大衆からの離脱コース」のキャリアパスを望見していた。しかし、高校での受験秀才としての穏やかな生活は長くは続かなかった。一つには先に述べた「知的サークル」に潜り込んだせいで、そこでの知恵比べや「おどかしっこ」(「お前、あれ読んだ?」)に必死でキャッチアップする必要があったからである。だが、それ以上の手間暇を要したのは不良化活動(麻雀、飲酒、喫煙、ジャズ喫茶通い)であった。別にそんなところに貴重なリソースを投じる理由はなかったのだが、私は中学生までは「箱入りの優等生」だったので、その手の誘惑にまったく免疫がなかったのである。

濫読と不良化活動への邁進のせいで、私の学業成績はたちまち悲惨なことになり、「箱入り優等生」の私しか知らない家族や友人やガールフレンドたち周囲の「良きひとびと」を嘆かせた。彼らに背を向けて遠ざかってゆく私の姿に、彼らはあるいは「名状し難い寂しさや切なさ」を感じたかも知れない。でも、私自身はそれまで無縁であった「ウッドビー知識人」と「都会の不良少年」という別種の「良きひとびと」との出会いに興奮していた。

そこに吉本隆明が来た。衝撃だった。免疫のない子どもにこんな過激な思想を注入したらどういうことになるか。私は「子どもが吉本隆明を読むとどうなるか」という危険な実験の一症例だったのではないかと思う。

私は吉本を読んで、すぐに「高校をやめよう」と思った。それは歩き始めたばかりの「大衆から知識人への上昇過程」をいきなり逆走するというとんちんかんなアイディアであったが、こういう無謀なことは高校生しか思いつかない。もし私が中学生のときに吉本を読んだとしても、「中学をやめて働こう」とは思わなかっただろう（思ってもそれを実行するだけの社会的実力がない）。大学生になって読んだ場合には、大衆は「原像」として概念的に把持される他ないほどすでに遠い存在になっていただろう。だが、高校生は生活者大衆でもないし、知識人でもない。まだ何者でもない。それでも、親に内緒で退学届けを出したり、家を出て働くことくらいはできる。この特権的なポジションを利用して、大衆でも知識人でもない、その二つを架橋できる存在になろうと私は思った（ほんとうにそう思ったのである）。

でも、もちろんそんな野心的企てが成功するはずもなく、私は中卒労働者としてしばらく極貧生活を送った後、反社会的な生活態度に怒った大家さんにアパートを追い出されて、家出してわずか半年で親に叩頭《こうとう》して家に戻る許しを請うことになったのである。

中卒労働者はつらかった（何より空腹がつらかった）。だから、温かい部屋で、母親の作った夜食を食べながらの受験勉強など、それに比べたら極楽であるとしみじみ思った。なるほど、知識人への上昇というのは別に大衆からの離脱というような観念的な営みである以上に、「楽な暮らしをしたい」という自然過程なのだと私は17歳にして深く得心がいった。

だから、大検を通って大学に入ったとき、私はずいぶん態度の悪い学生だったと思う。左翼の学生たちの政治談議はまったく空疎なものに思えたし、受験勉強の反動でただ遊んでいる学生は幼児に見えた。「大学解体」を呼号し、学校教育は無意味だと冷笑的に言う学生たちには「なんで高校のときにはそれに気づかずに受験勉強してたんだよ」と憎まれ口をきいた。厭味な学生だったと思う。大衆と知識人を架橋する存在になるという17歳の野望は潰えたけれど、知識人トラックに自分の走路だけは確保しつつ、効率的に受験勉強をクリアーして進学してきた同輩たちに向かっては中卒労働者の空腹を経験したことがあるかとすごむという「鵺《ぬえ》」的な狡猾さだけは身に着けていた。吉本隆明を「悪用する」方法というのが他にもあるのかどうか知らないが、私は間違いなくその好個の適例だった。

けれども、一言言い訳をするが、本書でも重く扱われている「転向」の問題は私たちの世代にとっても決して他人事ではなかったのである。それは「ブル転」とか、もっと穏やかに「運動からの召還」と呼ばれていたけれど、平たく言えば、政治革命をめざす政治活動から撤退して、就活にとりかかることである。多くの活動家学生たちが4年生になるとヘルメットを脱いで、汚れたジーンズを脱いでこぎれいなスーツに着替え、長い髪を切って七三に分けて就活を始めた。私はこれには驚いた。私はたしかに厭味な「鵜」的学生ではあったけれど、「鵜」であることに殉じる覚悟はあった。まさか「日帝打倒」とシュプレヒコールしていた学生たちがその当の日帝企業の就職の面談に行って、「御社の将来性に期待して」というような空語を吐くようなことが実際にあるとは思ってもいなかった。

なるほど、彼らにとって知識人でありかつ大衆であるというのは「こういうこと」なのかと腑に落ちた。まったく吉本が言った通りではないか。彼らは一方では空疎で観念的な世界革命論を語り、その一方では「己のためなら他人のことなど構っていられるかという明治資本主義が育てた『本音』としての個人主義的リアリズム」（３２０頁）にも忠実であったのである。

「この種の上昇型のインテリゲンチャが、見くびった日本的情況を（例えば天皇制を、家族制度を）、絶対に回避できない形で眼のまえにつきつけられたとき、何がおこるか。かつて離脱したと信じたその理に合わぬ現実が、いわば、本格的な思考の対象として一度も対決されなかったことに気付くのである。」という『転向論』の中の吉本隆明の言葉がこのときほど身にしみたことはなかった。

私はそのとき、ただ一人になっても「日本的情況」を見くびることだけはすまいと心に誓った。天皇制を、家族制度を、あるいは日本的政治思想を、宗教や伝統技芸を、それがどれほど「理に合わぬ」ものと見えても、私はそれを思考と、かなうなら実践の対象としようと決めた。空疎な政治革命論は語らない。けれども「己のためなら他人のことなど構っていられるか」というようなベタな個人主義リアリズムとも結託しない。その中ほどのところが、「鵺」的吉本主義者として私が選んだ立ち位置であった。

以後半世紀に近い歳月を閲した。私は後にフランスの哲学と文学を研究する学者になったが、その一方で父子家庭で子どもを育て、武道と能楽を稽古し、禊行を修し、祭祀儀礼を守り、今は自分の道場で地域の人々に合気道を教えて余生を過ごしている。他の点ではずいぶんわきの甘い男だったが、知識人と生活者大衆の中ほどのどっちつかずの立ち位置を守り、何があっても「日本的情況を見くびらない」という点については一度も警戒心を失ったことはなかったという自負はある。それほどまでに『転向論』の吉本の言葉は私の胸に突き刺さったのである。

以上が私にとっての吉本隆明との出会いとその後のいきさつである。17歳で吉本隆明に出会って「よかったのか、よくなかったのか、よくわからない」というのは如上のような事情によるのである。

鹿島先生もおそらくは吉本隆明との出会いがきっかけになって知的成熟の道を歩み始めたはずである（そうでなければ、こんな本は書かなかっただろう）。鹿島先生が進まれた道と私が進んだ道が結果的にはずいぶん方向違いのものだったにせよ、私たちはどちらも（主観的には）同じ「母鳥」の後を追って歩いてきたのだと思う。

（鹿島茂著『新版 吉本隆明１９６８』解説、平凡社ライブラリー、２０１７年）

あとがき

みなさん、最後までお読みくださって、ありがとうございました。いかがでしたか。

あらためて通読してみると、不思議な「後味」の本でした。個人的な感想を言えば（自分の本に著者が感想を述べるというのも変な話ですけれど）最終章に大瀧詠一、橋本治、加藤典洋という3人の敬愛する先輩たちへの弔辞をまとめて収録してくれた編集の山本浩貴さんの配慮に深く感謝します。この本を通じて僕が一番言いたかったことは、（吉本隆明を含めた）4人の死者たちに向けて書かれたこれらの言葉の中に表現されていたように思います。

この本が長く読み継がれることを願っています。

２０２１年８月

内田　樹

著者略歴

内田樹（うちだ・たつる）

1950 年東京生まれ。思想家、武道家、神戸女学院大学名誉教授、凱風館館長。東京大学文学部仏文科卒業。東京都立大学大学院人文科学研究科博士課程中退。専門はフランス現代思想、武道論、教育論など。『私家版・ユダヤ文化論』で小林秀雄賞、『日本辺境論』で新書大賞を受賞。他の著書に、『ためらいの倫理学』『レヴィナスと愛の現象学』『サル化する世界』『日本習合論』『コモンの再生』、編著に『人口減少社会の未来学』などがある。

コロナ後《ご》の世界《せかい》

二〇二一年十月二十五日　第一刷発行

著者　内《うち》田《だ》樹《たつる》
発行者　鳥山靖
発行所　株式会社文藝春秋
東京都千代田区紀尾井町三－二三
郵便番号　102－8008
電話　（〇三）三二六五－一二一一（代表）

DTP　エヴリ・シンク
印刷所
製本所　大日本印刷

ISBN978-4-16-391458-9　Printed in Japan

内田樹の本

サル化する世界

「今さえよければ、自分さえよければ、それでいい」――長期スパンで物事を考える時間意識が失われた〝サル化〟が急速に進む社会でどう生きるか？　ポピュリズム、敗戦の否認、嫌韓ブーム、ＡＩ時代の教育、貧困……モラルの底が抜けた時代に贈る、知的挑発の書。

コモンの再生

天下りのマッチポンプ、地方の過疎化、アンチ・グローバル化現象……混迷の時代においてコモン（共有地）の再生が日本の活路を開く！　ベーシック・インカムの成否を決定づける要素から、市民による〝公共〟の再構築まで、分断を超えて新しい共同幻想が立ち上がる希望の書。